Performance and Interpretation of Endocrine Function Tests

내분비 기능검사의 수행과 판독

대한내분비학회 진료지침 위원회

대한내분비학회
Korean Endocrine Society

내분비 기능검사의 수행과 판독

첫째판 1쇄 인쇄 | 2020년 10월 23일
첫째판 1쇄 발행 | 2020년 10월 30일
첫째판 2쇄 발행 | 2021년 2월 23일

지 은 이 대한내분비학회 진료지침 위원회
발 행 인 장주연
출 판 기 획 김도성
책 임 편 집 안경희
편집디자인 조원배
표지디자인 김재욱
제 작 담 당 신상현
발 행 처 군자출판사(주)
　　　　　등록 제4-139호(1991. 6. 24)
　　　　　본사 (10881) **파주출판단지** 경기도 파주시 회동길 338(서패동 474-1)
　　　　　전화 (031) 943-1888　　　팩스 (031) 955-9545
　　　　　홈페이지 | www.koonja.co.kr

ISBN 979-11-5955-616-6

정가 25,000원

Performance and Interpretation of Endocrine Function Tests

내분비 기능검사의 수행과 판독

대한내분비학회 진료지침 위원회

발간사

내분비학은 뇌하수체, 부갑상선, 갑상선, 부신, 췌장 등의 여러 기관에서 분비되는 호르몬을 통한 체내 항상성 유지에 대한 학문입니다. 내분비 질환은 호르몬 분비의 불균형에 따라 발현되는 임상 소견과 더불어 객관적인 내분비 기능검사를 통하여 진단하게 됩니다. 따라서, 정확한 내분비 기능검사를 수행하고 결과를 판독하는 것은 내분비 질환의 진단을 위하여 중요합니다.

이에 대한내분비학회에서는 2008년 출간되었던 「내분비 기능검사의 수행과 판독 및 보험규정」의 개정판을 출간하게 되었습니다. 이 개정판에서는 그 동안의 내분비 기능검사의 프로토콜의 업데이트된 사항을 일선 진료 현장에서 잘 활용할 수 있도록 검사 시의 주의사항 및 검사 방법, 결과 해석법 등을 최근 문헌에 근거하여 기술하였으며, 중요시되고 있는 유전자 검사 항목들을 보강하였습니다. 내분비 기능검사에 대한 보험 규정은 대한 내분비학회 홈페이지를 통하여 변경 사항들을 정기적으로 공지할 예정으로, 개정판에서는 생략함으로써 보다 내분비 기능검사에 대한 지침서로서의 성격을 명확히 하였습니다.

개정된 「내분비 기능검사의 수행과 판독」 개정판을 통하여 일선 진료 현장에서 내분비 질환의 정확한 진단에 많은 도움이 되기를 기대하며, 책자를 발간하기까지 노고를 아끼지 않으신 진료지침 위원회 여러분과 관련 연구회 위원분들, 출판 관계자 여러분께 깊은 감사를 드립니다.

2020년 10월
대한내분비학회 회장 이 형 우
대한내분비학회 이사장 이 은 직

저자명단

편집위원

김 난 희 고려의대 안산병원 내분비내과

류 혜 진 고려의대 구로병원 내분비내과

집필진 (가나다 순)

구 철 룡 연세의대 세브란스병원 내분비내과

김 보 연 순천향의대 부천병원 내분비대사내과

김 세 화 가톨릭관동의대 국제성모병원 내분비내과

김 정 희 서울의대 서울대병원 내분비대사내과

김 태 년 인제의대 해운대백병원 내분비대사내과

김 하 영 울산의대 강릉아산병원 내분비내과

김 혜 진 아주의대 아주대병원 내분비대사내과

류 옥 현 한림의대 춘천성심병원 내분비내과

류 혜 진 고려의대 구로병원 내분비내과

박 영 주 서울의대 서울대병원 내분비대사내과

안 화 영 중앙의대 중앙대병원 내분비내과

이 은 정 성균관의대 강북삼성병원 내분비내과

전   숙 경희의대 경희대병원 내분비내과

홍 남 기 연세의대 세브란스병원 내분비내과

목차

CHAPTER 3

갑상선

CHAPTER 4　**부신피질**

CHAPTER **5**

부신수질

CHAPTER **6**

성선 내분비

CHAPTER **7**

당뇨병의 평가와 췌장 기능검사

CHAPTER **11**

위장관 호르몬 검사

CHAPTER 1

내분비 기능검사의 실시와
결과의 판정

1. 내분비 질환 진단의 성립 여건

내분비 질환이 의심되는 경우 정확한 진단을 위해서는 선별검사와 확진검사가 필요하다. 의심하는 내분비 질환의 원인 및 병태생리를 충분히 숙지한 후 선별검사에 필수적인 검사 항목을 선택해야 하며, 선별검사의 결과가 의심하는 질환에 합당한 결과가 나오는 경우 확진검사를 실시하여 정확한 진단을 하게 된다. 선별검사 또는 확진검사 실시 전에는 검체 채취에 대한 주의 사항을 충분히 인지하고 시행하며 검사 중 발생할 수 있는 부작용과 대책에 대한 준비가 되어 있어야 한다.

궁극적으로 내분비 질환을 진단하기 위해서는 질환을 의심하는 것부터 시작해야 하며, 그 이후 적절한 검사를 선택하여 시행하고 검사결과에 대한 정확한 해석과 논리적인 설명이 필요하다. 내분비 질환에 대한 의심은 개인의 내분비 지식, 경험, 직관에 의해 이루어지며, 그 이후 진단을 위한 과정은 자신의 노력과 연구에 의해 완성된다.

2. 내분비 기능검사의 특성

임상적으로는 내분비 질환이 의심되었으나 검사 소견이 정상인 경우를 흔히 경험하게 된다. 특히 내분비 기능장애가 심하지 않을 경우 검사 소견은 정상이므로, 부분적인 내분비 조절장애를 진단할 수 있는 다른 방법을 찾아야 한다. 내분비 기능이상을 찾아낼 확률이 높은 검사 방법으로는 다음과 같은 것들이 있다.

연속적으로 호르몬을 반복 측정한다. 호르몬이 박동적으로 분비되거나 일중 변동이 있는 경우에는 호르몬의 반복 측정이 필요하다.

또한 대다수의 호르몬은 되먹이기 조절을 받으므로 호르몬 짝(예를 들어 티록신(thyroxine, T4)와 갑상선자극호르몬, 칼슘과 부갑상선호르몬 등)을 같이 측정하면 각각 측정했을 때 보다 중요한 정보를 얻을 수 있다.

호르몬 생산을 억제 또는 자극하는 역동적 내분비 검사는 단일 호르몬 측정에서 얻을 수 없는 정보를 제공하며, 특히 경미한 기능이상을 조기 진단하는데 중요한 역할을 한다.

3. 내분비 기능검사 시 주의 사항

대부분의 병원 환경에서는 채혈하는 사람과 검사 결과를 판독하는 사람이 다른 상황이며, 내분비 검사는 검체 채취의 조건에 따라 결과가 달라질 수 있으므로 원칙적으로 검사를 실시한 의사가 검사 결과를 판단하는 것이 좋다. 특히 검체 채취 시간 과 병록번호의 정확한 기재는 매우 중요하며, 여성의 경우 월경주기가 성호르몬 농 도의 이상 판단에 중요하므로 반드시 기재하여야 한다.

내분비 기능검사의 시행 시 다음과 같은 사항을 주의해야 한다.

- 검체는 적절한 시간에 정확히 채취되었는가?
- 24시간 소변은 완전히 모아졌는가?
- 검체는 채취 후, 정확히 보관되고 측정되었는가?
- 측정에 영향을 주는 약제(건강식품을 포함하여)는 복용하지 않았는가?

4. 검사 결과의 해석

호르몬치의 이상이 있다고, 그 호르몬을 분비하는 내분비선에 이상이 있다고 바로 단정할 수 없는 경우도 있다. 특히 갑상선, 부신피질, 성선 등은 [시상하부]— [뇌 하수체] — [내분비선] — [표적장기]의 서열 구조에 있으며, 이러한 구조 중에서 어느 한 곳이라도 이상이 발생하면 표적장기의 이상 증상으로 나타나서 하위 호르몬 의 결과 이상을 보일 수 있다.

호르몬치가 정상일 때 그 호르몬을 분비하는 내분비선의 기능이 정상이라고 단정할 수 없는 경우도 있다. 대다수의 호르몬은 되먹이기 기전에 의해 조절된다. 예를 들어 유리 티록신은 뇌하수체 전엽에서 생산되는 갑상선자극호르몬의 생산과 분비에 의해 촉진되는데, 갑상선의 이상으로 유리 티록신 분비가 저하되면 갑상선자극 호르몬의 분비가 항진되고 갑상선이 비대되면서 유리 티록신은 정상 범위가 될 수 있다. 갑상선종이 있으며 유리 티록신이 정상인 경우, 갑상선자극호르몬을 측정하지 않으면 갑상선기능저하증을 진단할 수 없다. 이런 경우에는 검사치는 정상이라고 해도 갑상선기능이상으로 해석할 수 있다.

자극 시험에서 무반응이나 반응 저하일 경우 그 장기의 이상이라고 단정할 수 없다. 내분비 장기는 상위 호르몬의 자극에 의존성을 보이므로 상위 호르몬의 결핍 시 하위 내분비선의 원발성 장애 없이 호르몬 생산 예비능의 저하를 보인다. 그러므로 하위 내분비선은 한 번의 자극시험에 무반응 또는 반응저하를 보일 수 있다. 예를 들면 뇌하수체의 성선자극호르몬 생산세포는 시상하부에서 분비되는 방출 호르몬에 대한 의존성이 강하여, 뇌하수체의 호르몬 분비가 저하되었을 때 한 번의 황체형성 호르몬분비호르몬(LHRH) 자극시험에 반응이 없으나 연속적으로 반복하여 자극

후 다시 자극시험을 실시하면 반응성 회복을 볼 수 있다.

내분비 기능검사는 단순한 혈액 및 소변 측정 뿐만 아니라 복잡한 억제 및 자극 검사가 포함되어 있다. 내분비 기관의 특성상 복잡한 기능검사가 필수 불가결하지만 그 해석에 있어 정확성은 항상 문제가 된다. 내분비 질환의 많은 종류에서 발생률이 낮아 환자가 소수이고, 이런 질환에 대하여 정상과 비정상을 구분하기 위한 연구는 충분한 환자 수를 대상으로 진행되지 못한다. 그러므로 어떠한 기준도 정상과 비정상을 구분하는데 완벽하지 못한 실정이다. 게다가 연구자들마다 서로 다른 기준을 적용하는 경우도 흔히 볼 수 있어 내분비를 전공한 의사들조차도 혼란을 겪게 된다. 독자들은 이와 같은 현실을 염두에 두고 검사의 민감도와 특이도 및 환자의 임상소견 등을 고려해서 종합적인 판단을 내려야 한다.

5. 내분비 기능검사 실시의 세부사항

1) 환자를 위한 설명

환자에게 시행하는 검사에 대하여 가능한 자세하게 설명한다. 검사의 이유 및 방법, 채혈 횟수에 대한 이해가 필요하며, 특히 반복된 부하검사가 예정된 경우에 치료는 안하고 피만 뽑는다고 강한 불만을 나타낼 수 있으므로 주의를 요한다.

2) 검사의 조건

호르몬 분비는 식사, 운동, 체위, 스트레스 등의 영향을 받으므로 실시 전에 지침서를 잘 읽고 검사 실시 일정을 결정한다. 특히 연속하여 자극검사를 시행하는 경우 이전 검사의 영향을 고려한다. 다음과 같은 검사 조건을 잘 알고 있어야 한다.

- 일중 변동이 큰 호르몬: 부신피질자극호르몬, 코르티솔, 알도스테론, 항이뇨호르몬
- 스트레스, 운동의 영향이 큰 호르몬: 부신피질자극호르몬, 성장호르몬, 글루카곤, 프로락틴, 카테콜라민
- 식사의 영향이 큰 호르몬: 인슐린, 글루카곤, 레닌 활성도
- 체위의 영향이 큰 호르몬: 알도스테론, 레닌 활성도, 항이뇨호르몬

24시간 소변 측정은 정확하게 소변을 모으지 못하면 결과 해석에 심각한 오류를 가져올 수 있다. 아침 첫 소변을 버리고 다음 소변부터 모아서 다음 날 아침 첫 소변

까지 모으도록 교육해야 한다. 노인이나 배변에 이상이 있는 경우 특히 강조해야 한다. 24시간 소변의 적절성을 평가하기 위해 24시간 크레아티닌 배설량을 함께 측정해야 하며, 남자의 경우 20-25 mg/kg/day, 여자의 경우 15-20 mg/kg/day정도가 되어야 소변량이 적절하다고 할 수 있다. 또한 2회 연속 측정할 경우 크레아티닌의 일간 총배설량의 차이가 10% 이내여야 한다.

3) 간호사 및 의료기사를 위한 설명

채혈용 시험관의 준비에서부터 혈청이나 혈장의 분리까지 의사가 직접 하는 경우가 많지 않으므로 충분한 협조를 얻기 위해서는 병원의 모든 직원에게 검사의 의미를 설명해야 한다. 특히 다음과 같은 검체의 취급에 대한 주의사항이 간호사와 의료기사에게 정확히 전달되어야 제대로 된 검사와 판독을 할 수 있다.

- 검사 전 금식 여부
- 준비할 채혈용 튜브의 종류
- 채혈 후 검체의 냉각 보관 여부
- 원심분리 전 보관 가능 시간
- 검체의 번호

4) 채혈 방법

채혈을 위해 주사바늘로 여러 번 찌르는 방법은 반드시 피해야 하며, 스트레스 없이 채혈할 수 있도록 혈관 유치 침을 사용한다.

헤파린 록 주사침은 편리한 혈관 유치 침으로 다양한 검사와 처치에 광범위하게 사용되고 있다. 헤파린 록 주사침은 혈액 응고를 방지하기 위해 헤파린 첨가 생리식염수(헤파린 100 U를 생리식염수 10 mL에 용해)를 채워놓았다. 채혈 시 0.2-0.5 mL의 혈액을 뽑아 헤파린 첨가 생리식염수를 제거한 후 검체를 채취 한다. 검체를 채취한 후 매번 소량의 헤파린 첨가 생리식염수를 통과시킨다.

내분비 기능항진증으로 검사치가 측정범위를 벗어날 것으로 예상되는 경우 검체의 희석검사를 의뢰한다. 예를 들어 심한 말단비대증에서 혈청 성장호르몬이 50 ng/mL 이상으로 예상될 때 자극시험을 실시하여 성장호르몬의 농도 변화 양상을 보려는 경우 희석하지 않은 샘플로 검사하여 자극 전이나 자극 후에 모두 50 ng/mL 이상이면 변화를 알 수 없으므로 희석하여 검사할 수 있도록 내분비 검사실에 연락한다.

5) 부작용과 대책

검사 실시 전 반드시 지침서를 충분히 숙지하여 발생할 수 있는 부작용에 대한 대처를 미리 준비해야 한다. 특히 검사 전 반드시 혈관의 확보가 필요하며 저혈당을 유발하는 검사의 경우 저혈당에 대한 신속한 대처를 위하여 포도당 수액을 준비하고 검사하는 동안 의사의 감시가 필요하다.

참고 문헌

1) J. Larry jameson, et al. Harrison's Principles of Internal Medicine. 19th ed. New York: McGraw-Hill. 2015;2768.

2) Shlomo Mened MBchB MACP, et al. Williams Textbook of Endocrinology. 13th ed. Philadelpia: Elesvier Saunders. 2015;515.

내 분 비 기 능 검 사 의
수 행 과 판 독

CHAPTER **2**

뇌하수체 기능검사

01

뇌하수체 전엽 기능검사

복합 뇌하수체 자극 검사(Combined pituitary function test)

1. 검사 목적

- 인슐린(성장호르몬유리호르몬, 부신피질자극호르몬유리호르몬), 갑상선자극호르몬유리호르몬, 황체형성호르몬유리호르몬를 동시에 정맥주사하여 뇌하수체 전엽에서 분비되는 각종 호르몬 분비능을 동시에 검사한다.

2. 검사 방법

1) 전날 저녁 식사 이후 금식을 유지해야 하며 저혈당이 발생할 수 있으므로 검사가 진행되는 동안 의사가 반드시 같이 있어야 한다.

2) 검사 전 채혈 침을 삽입하고 생리식염수를 정맥주사하여 30분 이상 안정시킨다. 기저치를 채혈하여 혈당, 성장호르몬, 난포자극호르몬, 황체형성호르몬, 갑상선자극호르몬, 프롤락틴, 부신피질자극호르몬, 코르티솔을 표시한다.

3) 인슐린 투여량은 다음과 같이 하여 생리식염수 5 mL에 혼합하여 정맥 투여한다.
    - 일반적으로 환자 체중 0.15 unit/kg의 인슐린(regular insulin)을 사용.
    - 2차성 부신기능저하증 환자: 0.1 unit/kg의 인슐린(regular insulin)을 사용.
    - 비만이나 인슐린 저항성 동반이 의심되는 경우: 0.25 unit/kg의 인슐린(regular insulin)을 사용.

4) 갑상선자극호르몬유리호르몬 500 μg과 황체형성호르몬유리호르몬 100 μg을 생리식염수 5 mL에 혼합하여 일시에 정맥주사한다.

5) 주사 후 30, 60, 90, 120분에 채혈하여 혈당, 성장호르몬, 난포자극호르몬, 황체형성호르몬, 갑상선자극호르몬, 프롤락틴, 코르티솔을 검사한다.

3. 부작용과 대책
- 인슐린에 의한 저혈당 유발은 심혈관질환이나 발작 및 경련성 환자에서는 금기이다.

4. 판정 기준
- 뇌하수체 기능부전(pituitary insufficiency)에 대한 복합검사의 방법 및 판정

자극물질 (투여용량 및 방법)	반응호르몬	정상 판정 기준
속효성 인슐린 (0.05–0.15 U/kg IV)	성장호르몬 코르티솔	혈당 < 40 mg/dL 그리고, 성장호르몬 > 5 μg/L (60–90분) 혈당 < 40 mg/dL 그리고 코르티솔은 최대 코르티솔은 18 ug/dL 이상으로 증가가 >18 μg/dL 이상 증가
갑상선자극호르몬 유리호르몬 (500 μg IV)	프롤락틴 갑상선자극호르몬	기저치에 비해 2배 이상 증가(30분) 기저치에 비해 >5 mU/L 이상 증가(30분)
황체형성호르몬유 리호르몬 (100 μg IV)	황체형성호르몬 난포자극호르몬	기저치에 비해 2 mIU/mL 이상 증가 기저치에 비해 10 mIU/mL 이상 증가 폐경 전 여성에서 정상적 생리 유지시 호르몬 검사

5. 참고 사항
1) 검사 중 계속 환자 상태의 관찰을 필요로 한다. 여러 종류의 검체를 채혈하므로 정확히 표시한 채혈 튜브를 미리 준비한다.

2) 반드시 혈당을 같이 측정하여 충분한 저혈당 반응이 일어났는지 확인한다. 만약 30분 채혈에서 측정한 혈당이 40 mg/dL 미만으로 떨어지지 않으면 최초 인슐린 투여량의 50-100%를 추가로 투여한다. 이런 경우에도 갑상선자극호르몬유리호르몬 및 황체형성호르몬유리호르몬에 의해 유도되는 검사 결과에는 영향을 미치지 않으므로 그대로 검사를 진행한다.

3) 저혈당이 발생한 후에는 증상을 완화시키기 위해 포도당 수액을 투여할 수 있으며 이는 검사 결과에 아무런 영향을 미치지 않는다.

4) 복합 뇌하수체 자극 검사는 여러 종류의 뇌하수체 호르몬 분비능을 한번에 평가할 수 있는 장점이 있으나 자극제의 상호 작용을 받을 가능성이 있어 별도로 시행하는 것이 좋다.

5) 최근에는 인슐린 대신 부신피질자극호르몬과 성장호르몬유리호르몬을 이용한 직접 자극 시험이 이용되며 특히 인슐린 사용이 금기인 경우 유용하다.

참고문헌 ///

1) J. Larry jameson, et al. Harrison's Principles of Internal Medicine. 20th ed. New York: Mc-Graw-Hill. 2018;372.

2) Shlomo Mened MBchB MACP, et al. Williams Textbook of Endocrinology. 14th ed. Philadelpia: Elesvier Saunders. 2019;689-90.

성장호르몬 검사

혈청 성장호르몬(Growth hormone, GH)

1. 검사 목적
1) 말단비대증(acromegaly)의 진단 및 치료 효과 판정
2) 뇌하수체성 왜소증의 진단
3) 뇌하수체 전엽 기능이상의 진단

2. 참고치
• 안정시 혈청에서 0.5-17 μg/L 혹은 0.5-17 ng/mL

3. 이상치의 해석

증가	저하
말단비대증, 뇌하수체성 거인증 조절이 불량한 당뇨병 신경성 식욕부진증 영양불량(기아) 만성 신부전증 이소성 성장호르몬 생산종양 이소성 GHRH 생산종양 라론왜소증	뇌하수체성 왜소증 　특발성 　기질성(뇌종양, 외상 등) 애정결핍성 왜소증 범뇌하수체 기능저하증 비만증 갑상선기능저하증 쿠싱증후군 당질코르티코이드 투여

4. 검체의 채취와 취급

- 채혈 상태에 따라 측정치가 크게 다르므로, 아침 공복의 안정 상태(30분 이상 침상에서 안정 한 후)에서 채혈한다.
- 검체는 혈청 또는 혈장 모두 가능하며, 비교적 안정하다.

5. 측정치에 영향을 주는 요인

1) 일중 변동: 성장호르몬은 박동적으로 분비되며, 대부분 깊은 수면 중에 분비된다.
2) 식사, 운동, 스트레스: 포도당, 지방산에 의해 억제되고, 아미노산에 의해 증가된다. 정신적 스트레스 및 육체적 스트레스에 의해 자극된다.
3) 연령: 4세 이후의 소아는 성인과 차이가 없다. 24시간 분비량은 사춘기에 최고로 많고, 20세 이후에는 감소한다.
4) 약제: 에스트로겐, 도파민 수용체 자극제, α수용체 자극제, β수용체 차단제에 의해 증가 된다.
5) α수용체 차단제, β수용체 자극제, 도파민 길항제, 세로토닌 길항제, 대량의 당질코르티코이드에 의해 억제된다.

6. 참고 사항

1) 성장호르몬 기저치가 4 ng/mL 이상인 경우 뇌하수체성 왜소증의 가능성은 적다. 그러나 정상인에서도 1-2 ng/mL의 낮은 수치를 나타낼 수 있으며, 분비 저하를

진단하기 위한 선별 검사로 요중 성장호르몬 측정이 좋다.

2) 뇌하수체 전엽 호르몬의 분비는 성장호르몬, 황체형성호르몬유리호르몬, 갑상선 자극호르몬, 부신피질호르몬, 프롤락틴의 순서로 소실되므로 성장호르몬을 측 정하여 정상치를 보일 경우 범뇌하수체 기능저하증의 가능성은 적다.

3) 5 ng/mL 이상을 비정상으로 생각할 수 있으나, 정상인에서 박동적 분비가 있으 며 식사, 운동 등으로 증가될 수 있으므로 1회 측정으로 정상치와 이상치의 감별 이 어려운 경우가 있다. 이때는 인슐린유사 성장인자-I이나 24시간 소변의 성장 호르몬 측정, 또는 각종 부하검사를 필요로 한다.

4) 성장호르몬은 수면 중에 분비되므로 성장호르몬 분비 부족에 의한 저신장증을 진단하기 위해서 수면 전에 정맥에 주사침을 삽입해 놓고 수면 후, 20분과 3시간 에 채혈하여(가능하면 뇌파를 기록하며 장시간 채혈하여) 평균 혈중농도가 5 ng/ mL 이하이면 비정상으로 판단한다.

참고문헌 //

1) J. Larry jameson, et al. Harrison's Principles of Internal Medicine. 19th ed. New York: Mc-Graw-Hill. 2015;2760.

인슐린유사 성장인자-I(Insulin like growth factor-I)

1. 검사 목적

1) 말단비대증의 선별검사
2) 성장호르몬 결핍증과 말단비대증의 치료효과 판정

2. 참고치

나이	SI Units	Conventional Units
출생 사춘기	40 μg/L 남: 220 μg/L, 여: 260 μg/L	40 ng/mL 남: 220 ng/mL, 여: 260 ng/mL
16-24세 25-39세 40-54세 > 54세	182-780 μg/L 114-492 μg/L 90-360 μg/L 71-290 μg/L	182-780 ng/mL 114-492 ng/mL 90-360 ng/mL 71-290 ng/mL

3. 이상치의 해석

증가	저하
말단비대증 임신 갑상선기능항진증	뇌하수체성 왜소증 범뇌하수체 기능저하증 라론왜소증 성장호르몬 분비장애 영양불량 만성 신부전증 간경변증 갑상선기능저하증

- 증가한 경우 말단비대증을 강력히 시사하나 성장호르몬 결핍증에서 정상의 하한 정도로 측정되기도 하므로 성장호르몬 결핍증의 진단에는 가치가 적다.

4. 검체의 채취와 취급

- EDTA 함유 시험관에 채혈하여 얼음물에 채워 보관하고, 가능한 즉시 4℃에서 혈장을 분리한다(혈장 분리까지 시간에 따라 측정치에 2배 이상 차이가 난다).

그러나 실제로 실온에서 4시간 방치 후 혈장 분리하여도 즉시 혈장 분리한 것보다 5% 이내의 차이만을 보였다.

5. 측정치에 영향을 주는 요인
1) 일중 변동: 없다.
2) 장기간 금식으로 저하된다.
3) 운동, 스트레스: 영향 없다.
4) 임신, 에스트로겐: 증가한다.
5) 신부전증: 결합단백에 친화성 증가한다.
6) 연령: 소아기에서부터 증가하여 15세 전후에 최고치에 이르고, 이후 점차 감소하여 18세 이후에 일정 농도를 유지한다.
7) 비교적 반감기가 길어 혈중 농도 변화가 늦으며, 하루 중이나 식사에 의한 변화가 크지 않고, 테스토스테론이나 당질코르티코이드에 의한 영향은 적다.

6. 참고 사항
1) 사춘기동안 증가하여 16세경에 최고에 이르고 이후 80% 이상 감소
2) 인슐린유사성장인자-I의 감소는 시상하부나 뇌하수체의 이상에 의한 성장호르몬의 결핍 외에도 악액질, 영양결핍, 패혈증에서 성장호르몬 저항성이 발생한 경우에도 낮을 수 있다.
3) 성장호르몬 결핍증 환자의 약 25%까지는 정상치의 하한에 해당하는 인슐린유사성장인자-I 수치를 보이므로 성장호르몬 결핍증의 진단에는 가치가 적으나 말단비대증에서는 대개 수치가 상승해 있어 선별검사로 이용될 수 있다.
4) 성장호르몬은 박동적으로 분비되나 그 작용에 의해 분비되는 인슐린유사성장인자-I는 일중 변동이 없으며 운동, 스트레스 등의 영향을 받지 않아 1회 측정으로 성장호르몬 분비상태를 추정할 수 있다. 그러나 영양상태의 변화에 대한 주의가 필요하다.

참고문헌

1) Rifai, et al. Tietz Textbook of Clinical Chemistry and Molecular Diagnostics. 8th ed. New York: WBSaundersCo. 2017;1770.

아르기닌(arginine)에 의한 성장호르몬 자극 검사

1. 검사 목적
1) 성장호르몬 결핍증 진단
2) 성장호르몬 분비 예비능의 판정

2. 검사 원리
- 시상하부를 경유하여 성장호르몬 분비를 촉진한다. 작용기전은 불명하나 성장호르몬유리호르몬를 매개하는 것으로 생각된다.

3. 검사 방법
- 아침 공복에 생리식염수를 용매로 하여 10% L-아르기닌 용액을 만들어 0.5 g/kg (최대 30 g까지)을 30분간 점적 정맥주사한다. 정맥주사 전과 후 30, 60, 90, 120분에 채혈하여 혈청 성장호르몬을 측정한다.

4. 판정 기준
- 성장호르몬 반응이 3 μg/L 이상이면 정상

5. 부작용과 대책
- 부작용으로 구역감, 구토, 얼굴 홍조, 두통이 있을 수 있다.

6. 참고 사항
- 뇌하수체 기능저하증 환자의 30-35%에서 위음성을 보인다.
- 대사성 산증, 간기능부전 및 신장기능부전 환자에서는 금기이다.
- 혈관외 유출 시 1500 U Hyaluronidase 투약

참고문헌 //

1) J. Larry jameson, et al. Harrison's Principles of Internal Medicine, 20th ed. New York: McGraw-Hill. 2018;372.
2) Mark E. Molitch, David R. Clemmons, Saul Malozowski, George R/ Merriam, Mary Lee

Vance, Evaluation and Treatment of Adult Growth Hormone Deficiency: An Endocrine Society Clinical Practice Guideline. J Clin Endocrinol Metab 2011;96:1587-1609.

성장호르몬유리호르몬에 의한 성장호르몬 자극 검사

1. 검사 목적
1) 성장호르몬 결핍증의 진단
2) 성장호르몬 분비 예비능의 판정

2. 검사 원리
- 성장호르몬유리호르몬(growth hormone releasing hormone, GHRH)은 직접 뇌하수체의 성장호르몬 생산 세포에 작용하여 성장호르몬을 분비한다.

3. 검사 방법
- 아침 공복에 성장호르몬 유리호르몬 100 μg (18세 미만에서는 1 μg/kg 체중, 최대 100 μg)을 생리식염수 2 mL에 용해하여 정맥주사한다. 주사 전과 후 15, 30, 45, 60, 120분에 채혈하여 혈청 성장호르몬을 측정한다.

반응 저하	과잉 반응
비만증 **갑상선기능저하증** 급성 고혈당 인슐린유사성장인자-I, II 에스트로겐 소마토스타틴 유리지방산 포도당 부하	**소마토스타틴 억제** **베타 차단제(propranolol, atenolol)** 도파민 작용제(L-dopa, bromocriptine) 콜린 작용제(pyridostigmine) 저혈당

4. 판정 기준
- 성장호르몬 반응이 5 μg/L 이상이면 정상

5. 이상치의 해석
- 비만환자, 뇌하수체성 왜소증, 범뇌하수체 기능저하증, 시상하부성 뇌하수체 기능저하증, 갑상선기능저하증 등에서 반응이 저하된다.

6. 부작용과 대책
- 주사 2-3분에 안면홍조를 볼 수 있으나 대부분 자연 소실된다. 감각이상, 구역감, 미각 이상 등이 나타날 수 있다.

7. 참고 사항
1) 40세 이상의 정상인에서도 성장호르몬유리호르몬에 대한 반응이 저하된다.
2) 성장호르몬유리호르몬은 다른 성장호르몬 분비 자극시험보다 강력하며, 10세 미만 소아에서 다른 자극시험에 성장호르몬 분비 반응이 없는 경우에도 성장호르몬유리호르몬에는 반응한다.
3) 원발성 성장호르몬 결핍증의 30-50% 환자에서 정상 반응을 보일 수 있다.

참고문헌 ///

1) J. Larry jameson, et al. Harrison's Principles of Internal Medicine, 20th ed. New York: Mc-Graw-Hill. 2018;372.
2) Shlomo Mened MBchB MACP, et al. Williams Textbook of Endocrinology. 14th ed. Philadelpia: Elesvier Saunders. 2019;616-8.
3) Mark E, Molitch, David R. Clemmons, Saul Malozowski, George R/ Merriam, Mary Lee Vance, Evaluation and Treatment of Adult Growth Hormone Deficiency: An Endocrine Society Clinical Practice Guideline. J Clin Endocrinol Metab 2011;96:1587-609.

인슐린 유발 저혈당에 의한 성장호르몬 자극 검사

1. 검사 목적
1) 성장호르몬 결핍증의 진단
2) 성장호르몬 분비 예비능의 판정

2. 검사 원리

- 저혈당은 시상하부를 매개하여 여러 기전(성장호르몬유리호르몬 분비 증가, 소마토스타틴 분비 억제 등)에 의해 성장호르몬 분비를 촉진한다.

3. 검사 방법

- 아침 공복에 속효성 인슐린 0.1 U/kg(뇌하수체 기능저하증이 의심되는 경우에는 0.05 U/kg, 말단비대증인 경우에는 1.5 U/kg)을 정맥주사한다. 주사 전과 후 30, 60, 90, 120분에 채혈하여 혈당, 혈청 성장호르몬을 측정한다.

4. 판정 기준

- 정상반응: 혈당이 40 mg/dL 이하일 때 성장호르몬이 3 µg/L 이상

5. 부작용과 대책

- 저혈당을 인위적으로 일으키는 검사이므로 위험성이 있어 주의를 요한다. 검사가 끝날 때까지 절대로 환자를 혼자 놓아두어서는 안 된다. 반드시 혈관을 확보해 놓아야 하며 저혈당 증세가 있으면 검사를 중지하고 포도당 용액을 정맥 주사할 수 있도록 준비되어 있어야 한다. 저혈당에서 회복되기까지 오랜 시간이 필요한 경우도 있다. 특히 저칼륨혈증, 갑상선기능항진증, 고령자 등에서 주의가 필요하다. 협심증, 동맥경화증, 간질 환자 등에서는 검사 금기이다.

6. 참고 사항

1) 반드시 혈당을 같이 측정하여 기저치의 50% 이하 또는 40 mg/dL 이하로 저하되어야 충분한 저혈당 자극이 된 것으로 판정할 수 있다. 다만, 당뇨병이 있는 환자는 기저치 혈당의 50% 이하로 저하되어야 충분한 저혈당 자극이 된 것으로 판정할 수 있다.
2) 비만, 성선 기능저하증, 쿠싱증후군 환자에서는 반응이 감소할 수 있다.

참고문헌 //

1) J. Larry jameson, et al. Harrison's Principles of Internal Medicine, 20th ed. New York: Mc-Graw-Hill. 2018;372.

L-DOPA에 의한 성장호르몬 자극 검사

1. 검사 목적
1) 성장호르몬 결핍증 진단
2) 성장호르몬 분비 예비능의 판정

2. 검사 원리
- 시상하부의 도파민 수용체에 결합하며, 성장호르몬유리호르몬을 매개하여 성장 호르몬을 분비한다.

3. 검사 방법
- 아침 공복에 L-DOPA 500 mg(소아에서 10 mg/kg 체중)을 경구 투여한다. 투여 전과 후 60, 90, 120분에 채혈하여 혈청 GH를 측정한다.

4. 판정 기준
- 정상반응: 자극 시 성장호르몬이 3 μg/L 이상

5. 부작용과 대책
- 구토, 구역, 어지럼증, 가벼운 두통이 있을 수 있으며, 가만히 누워있으면 회복된다.

6. 참고 사항
- 비교적 약한 성장호르몬 자극시험이며, 정상인에서도 반응이 없을 수 있다.

참고문헌 //

1) J. Larry jameson, et al. Harrison's Principles of Internal Medicine, 20th ed. New York: Mc-Graw-Hill. 2018;372.
2) E.Ghigo, G.Aimaretti, G. Corneli, Diagnosis of adult GH deficiency. Growth Hormone &IGF Research 2008;18:1-16.

글루카곤–프로프라놀롤에 의한 성장호르몬 자극 검사

1. 검사 목적
1) 성장호르몬 결핍증 진단
2) 성장호르몬 분비 예비능의 판정

2. 검사 원리
- 글루카곤 투여에 의한 반응성 저혈당은 성장호르몬 분비를 일으키며, 이 반응은 β차단제에 의해 증강되므로 성장호르몬 분비자극 시험 중 가장 강력하다.

3. 검사 방법
- 아침 공복에 프로프라놀롤 40 mg을 복용하며, 동시에 글루카곤 1 mg을 근육주사(체중 20 kg 이하의 소아에서는 프로프라놀롤 5 mg, 글루카곤 0.03 mg/kg, 최대 1.0 mg/kg 미만, 체중 90 kg 이상 시 1.5 mg/kg)한다. 투여 전과 후 30, 60, 90, 120, 150, 180분에 채혈하여 혈당, 혈청 성장호르몬을 측정한다.

4. 판정 기준
- 혈중 성장 호르몬이 기저치보다 5 ng/mL 이상 증가하거나 혹은 총 10 ng/mL 이상이면 정상

5. 부작용과 대책
- 심장질환, 기관지 천식에서 금기이다. 글루카곤에 의한 저혈당 증상은 60분 이후에 출현하나, 인슐린부하 검사에 비해 경도이다. 강한 저혈당증이 출현하면 채혈하여 검사하고 포도당을 정맥주사한다. 프로프라놀롤에 의해 오심, 구토, 어지러움증 등의 증상이 120-150분에 출현할 수 있으며, 저혈압, 서맥이 있는 경우 아트로핀 0.3-1 mg을 투여한다.

참고문헌

1) J. Larry jameson, et al. Harrison's Principles of Internal Medicine, 20th ed. New York: McGraw-Hill. 2018;372.

2) E.Ghigo, G.Aimaretti, G. Corneli. Diagnosis of adult GH deficiency. Growth Hormone &IGF Research 2008;18:1-16.

클로니딘에 의한 성장호르몬 자극 검사

1. 검사 목적
1) 성장호르몬 결핍증의 진단
2) 성장호르몬 분비 예비능의 판단

2. 검사 원리
- 아드레날린 알파 수용체를 통해 성장호르몬유리호르몬(GHRH)을 방출함으로써 성장호르몬 분비를 자극한다.

3. 검사 방법
- 아침 공복에 누운 상태에서 0.15 mg/m^2 (maximum dose 0.25 mg)의 Clonidine을 경구 1회 복용 후, 2시간 동안 30분 간격으로 혈당과 혈압을 함께 측정하면서 성장호르몬을 채혈한다(차광 상태에서 투약).

4. 판정 기준
- 정상 반응: 성장호르몬이 3 μg/L 이상

5. 부작용과 대책
- 검사 도중과 종료 후에도 저혈압이 발생할 수 있어서 혈압을 함께 측정하고 입원 시 심전도를 시행한다. 심장질환 병력이 있는 환자에서는 금기이다.
- 검사 중과 후에 졸릴 수 있다.

6. 참고 사항

참고문헌 //

1) Shlomo Mened MBchB MACP, et al. Williams Textbook of Endocrinology. 14th ed. Philadelpia: Elesvier Saunders. 2015;616-8.

갑상선자극호르몬유리호르몬 자극에 의한 성장호르몬 반응 검사

1. 검사 목적
- 말단비대증의 진단 및 치료 효과 추적 관찰

2. 원리
- 정상 성장호르몬 분비 세포는 갑상선자극호르몬유리호르몬(thyrotropin releasing hormone, TRH)에 반응하지 않으나, 말단비대증의 75%는 성장호르몬 생산 종양세포가 갑상선자극호르몬유리호르몬에 반응하여 성장호르몬을 분비한다.

3. 검사 방법
- 갑상선자극호르몬유리호르몬 200 μg (Relefact-TRH)을 5 mL의 생리식염수에 희석하여 2-3분간에 걸쳐 정맥주사한다. 주사 전과 후 15, 30, 60, 90, 120분에 채혈하여 성장호르몬을 측정한다.

4. 판정 기준
- 정상에서는 갑상선자극호르몬유리호르몬 투여에 성장호르몬이 증가하지 않는다.

5. 부작용과 대책
- 대부분 부작용은 없다. 간혹 안면 열감, 두통, 구역, 동계, 흉통 등과 드물게 요의, 변의 등이 있을 수 있으나 보통 1-2분 내에 소실된다.

6. 참고 사항
1) 정상 뇌하수체 전엽 세포에는 유리호르몬에 고유한 수용체가 존재하며, 모든 발

생 단계에 기초적인 줄기세포(totipotential stem cell)가 존재하여 여기서 분화한다. 이 세포가 종양이 되면 정상에 없는 수용체가 발현되어 역설반응을 일으키는 것으로 생각된다.

2) 역설 반응은 54.5%에서 볼 수 있다.

3) 뇌하수체 수술 후에도 반응이 일정기간 동안 지속될 수 있다.

참고문헌

1) Shlomo Mened MBchB MACP, et al. Williams textbook of endocrinology, 14th ed. Philadelpia: Elesvier Saunders. 2019;855.

브로모크립틴에 의한 성장호르몬 억제 검사

1. 검사 목적

- 말단비대증에서 도파민 작용제에 대한 역설적 반응으로 성장호르몬 억제가 일어나는 환자에서 브로모크립틴 치료 적응되며 이러한 환자의 선별검사로 이용된다.

2. 검사 원리

- 정상인에서는 도파민 작용제에 의해 성장호르몬 분비가 촉진되므로 브로모크립틴 부하에 의한 성장호르몬 분비 예비능 검사에 이용할 수 있으나 실제로는 브로모크립틴에 대한 역설적 반응을 이용한 성장호르몬 억제 검사가 많이 이용된다. 정상인에서는 브로모크립틴에 의해 성장호르몬이나 부신피질자극호르몬의 억제가 없으나 호르몬 생산 뇌하수체 종양의 일부에서는 정상적으로 존재하지 않는 도파민 수용체(D3)가 발현하여 역설적으로 호르몬 분비를 억제한다. 갑상선자극호르몬유리호르몬이나 황체형성호르몬유리호르몬에 대한 성장호르몬 분비 반응과 같은 경우이다.

3. 검사 방법

- 채혈 후 브로모크립틴 2.5-5 mg을 경구 투여 후 90, 180, 270, 360 분에 채혈하여

혈청 성장 호르몬을 측정한다.

4. 판정 기준
- 정상인에서는 90-150분에 성장호르몬의 증가가 최고치를 보이나 말단비대증에서는 4-8시간 동안에 최저치를 나타낸다.

5. 부작용
- 오심, 구토, 기립성 저혈압

6. 참고 사항
1) 프롤락틴은 도파민에 의해 억제되며 이것이 주된 분비조절인자이다. 프롤락틴 선종에서 브로모크립틴 투여는 치료의 1차 선택이며, 종양의 축소효과도 기대된다. 프롤락틴 선종에서 브로모크립틴 억제 시험은 프롤락틴 반응성의 예측에도 이용된다.
2) 쿠싱병의 일부에서는 브로모크립틴 투여에 의해 부신피질자극호르몬이 억제되며, 치료효과의 예측에 브로모크립틴 억제 시험이 이용된다.

참고문헌

1) J. Larry jameson, et al. Harrison's Principles of Internal Medicine. 20th ed. New York: McGraw-Hill. 2018;372.
2) Shlomo Mened MBchB MACP, et al. Williams Textbook of Endocrinology. 13th ed. 2015;176-231.

소마토스타틴에 의한 성장호르몬 억제 검사

1. 검사 목적
- 성장호르몬 분비 억제 호르몬인 소마토스타틴 유도체를 투여하여 말단비대증에서 소마토스 타틴 치료 유효성을 검토한다. 갑상선자극호르몬 생산 종양의 치료 유효성 검토에도 이용된다.

2. 검사 원리

- 소마토스타틴 유도체인 옥트레오타이드(octreotide)는 성장호르몬 생산 뇌하수체 종양에서 성장호르몬 분비를 억제하여 임상증상을 호전시킨다. 옥트레오타이드 투여 후 반응성이 좋을 것으로 예상되는 환자를 선별할 수 있다.

3. 검사 방법

- 채혈 후 옥트레오타이드(Sandostatin) 100 µg을 피하주사하고 1, 2, 3, 4시간에 채혈하여 혈청 성장호르몬을 측정한다.

4. 판정 기준

- 옥트레오타이드 투여 후 성장호르몬은 1 µg/L이하로 저하되며 수 시간 지속된다.

5. 부작용

- 주사 부위의 통증이 있을 수 있으며, 일시적인 위장증상으로 구토, 설사 등이 나타날 수 있다.

참고문헌 ///

1) J. Larry jameson, et al. Harrison's Principles of Internal Medicine. 20th ed. New York: McGraw-Hill. 2018;371.
2) Shlomo Mened MBchB MACP, et al. Williams Textbook of Endocrinology. 9th ed. 1998;232-99.

포도당 부하에 의한 성장호르몬 억제 검사

1. 검사 목적

- 말단비대증의 진단 및 치료효과 판정

2. 검사 원리

- 정상인에서 혈당은 성장호르몬의 분비를 억제하나, 말단비대증에서는 성장호르

몬이 억제되지 않고 오히려 증가하므로 말단비대증의 진단에 이용한다.

3. 검사 방법
- 아침 공복에 포도당 75 g을 물 100 mL에 용해하여 경구투여하고, 투여 전과 후 30, 60, 90, 120, 150, 180분에 채혈하여 혈당과 혈청 성장호르몬을 측정한다.

4. 판정 기준
1) 성장호르몬이 포도당 부하 1-2시간 내에 1 μg/L 이하로 억제되면 정상 반응으로 판정한다. Ultrasensitive kit를 사용하여 성장호르몬을 측정한 경우는 기준점을 0.4 μg/L로 사용한다.
2) 성장호르몬 분비성 뇌하수체 종양의 수술적 치료 3개월이 지난 시점에 시행한 검사에서 성장호르몬이 1 μg/L 이하로 억제되면 완치되었음으로 판정한다.

5. 이상치의 해석
- 성장호르몬이 포도당 부하 1-2시간 내에 억제되지 않고 증가하는 경우 말단비대증으로 진단한다.

6. 부작용과 대책
- 포도당 투여 후 구토와 설사가 있을 수 있다.

7. 참고 사항
1) 사춘기, 당뇨병, 콩팥질환, 간질환 또는 신경성 식욕부진증이 있는 경우 위양성으로 검사 결과가 나올 수 있다.

참고문헌

1) J. Larry jameson, et al. Harrison's Principles of Internal Medicine. 20th ed. New York: Mc-Graw-Hill. 2018;371.
2) Shlomo Mened MBchB MACP, et al. Williams Textbook of Endocrinology. 9th ed. 1998;232-99.

갑상선자극호르몬 검사

갑상선자극호르몬(Thyroid stimulating hormone, TSH) 측정

1.검사 목적

1) 갑상선 기능의 선별검사

2) 뇌하수체 전엽 기능의 판정

2. 참고치

- 0.5-4.7 µU/mL (0.5-4.7 mU/L)

3. 이상치의 해석

증가	감소

일차 갑상선기능저하증
   만성 갑상선염
   방사성 옥소
   투여 후 갑상선
   수술 후 크레틴병
   특발성 점액수종
항갑상선제 과잉투여
갑상선자극호르몬
생산종양 약물: 리튬,
할로페리돌 등
	그레이브스병
	파괴성 갑상선 중독증
	   무통성 갑상선염
	   아급성 갑상선염 일부
	기능성 갑상선 결절
	플루머병
	선종성 갑상선종 일부
	뇌하수체성
	갑상선기능저하증
	시상하부성 갑상선기능저하증 약물:
	브로모크립틴 등

4. 이상 판단

1) 혈청 티록신 증가와 갑상선자극호르몬 정상: 갑상선자극호르몬 부적절 분비증후
군

2) 혈청 티록신 저하와 갑상선자극호르몬 정상: 시상하부, 뇌하수체 질환

5. 검체 채취와 취급

• 수시 채혈한 혈청 또는 혈장

6. 측정치에 영향을 주는 인자

1) 일중 변동: 정상인에서 일중 변동은 없으나, 안정시와 야간에 약간 증가하여 밤 11시경 가장 높다.
2) 연령: 신생아에서 출생 직후에 일시적인 증가, 소아와 고령자에서 경도 증가한다.
3) 임신: 9-12주에 경도 저하된다.
4) 식사, 스트레스, 운동: 영향 없다.
5) 약제: 갑상선호르몬, 부신피질 호르몬, 여성호르몬 투여에 의해 저하된다.
   다량의 항갑상선제 투여에 의해 증가한다.

7. 참고 사항

1) 뇌하수체가 정상인 경우 갑상선호르몬의 증감에 의한 되먹이기 조절에 가장 먼저 갑상선자극호르몬 농도가 반영된다. 현재 사용하고 있는 면역방사계측검사법에 의한 갑상선자극호르몬 측정 감도가 매우 좋아 갑상선기능이상증의 초기에 갑상선호르몬이 정상범위인 경우에도 갑상선자극호르몬 농도는 이상치를 보일 수 있다.
2) 갑상선자극호르몬은 뇌하수체 전엽호르몬 중에서 일중 변동이 적어 1회 측정으로 뇌하수체 기능저하의 평가에 이용된다.
3) 갑상선자극호르몬 부적절 분비증후군: 혈청의 갑상선호르몬이 증가되어 있으나 갑상선자극호르몬이 억제되지 않는 상태로 갑상선자극호르몬유리호르몬에 정상 또는 과반응을 보이며, 삼요오드티로닌 투여 후에도 갑상선자극호르몬 기저치가 저하되지 않는다. 뇌하수체형 갑상선호르몬 불응증과 갑상선자극호르몬 생산종양 등을 생각할 수 있다.
4) 시상하부, 뇌하수체의 질환에서 구조 이상 갑상선자극호르몬이 분비되어 이차 갑상선기능 저하증을 일으킬 수 있다. 방사면역검사법 측정법으로 갑상선자극호르몬이 정상범위에 있을 때 주의를 요한다. 이 경우 생물학적 측정에 저하되어 있으면 생물활성이 없는 갑상선자극호르몬을 생각할 수 있다. 코르티솔은 갑상

선자극호르몬 분비를 억제시키므로 코르티솔이 저하된 쉬한 증후군(Sheehan's syndrome)에서 갑상선자극호르몬이 증가될 수 있다.

참고문헌 ///

1) J. Larry jameson, et al. Harrison's Principles of Internal Medicine. 19th ed. New York: Mc-Graw-Hill. 2015;2763.

갑상선자극호르몬유리호르몬에 의한 갑상선자극호르몬 자극 검사

1. 검사 목적
1) 1차성 및 중추성(뇌하수체성) 갑상선기능저하증의 감별
2) 뇌하수체의 갑상선자극호르몬 분비 예비능의 판정(뇌하수체 기능의 선별검사)

2. 검사 원리
- 합성 갑상선자극호르몬유리호르몬을 이용하여 뇌하수체 세포를 직접 자극하여 갑상선자극호르몬을 분비한다.

3. 검사 방법
1) 갑상선자극호르몬유리호르몬 200 μg을 5 mL의 생리식염수에 희석하여 2-3분간에 걸쳐 정맥주사한다. 주사 전과 후 15, 30, 60, 90, 120분에 채혈하여 갑상선자극호르몬을 측정한다(갑상선호르몬을 동시에 측정하는 경우가 있다).
2) 갑상선자극호르몬유리호르몬 200-500 μg을 정맥주사한 후 주사 전, 20, 60분에 갑상선자극호르몬을 측정한다.

4. 정상 반응
- 30분에 최고치에 도달하며 기저치보다 5 μU/L 이상 더 상승하면 정상 반응으로 판정한다.

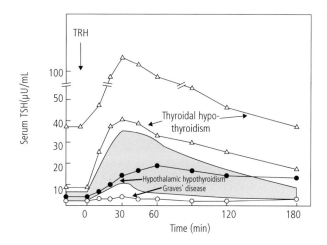

5. 이상치의 해석

1) 무반응: 갑상선기능항진증, 뇌하수체성 갑상선기능저하증.

2) 갑상선자극호르몬 증가와 무반응: 갑상선자극호르몬 분비성 뇌하수체 종양(반응성이 있는 경우도 있다).

3) 저반응, 지연반응: 시상하부성 갑상선기능저하증, 신경성 식욕부진증.

4) 과잉반응: 일차성 갑상선기능저하증.

6. 검사에 영향을 주는 요인

- 갑상선자극호르몬 분비는 식사, 운동, 스트레스에 영향을 받지 않으므로 반드시 아침 공복에 시행할 필요는 없다.

- 약제에 대한 영향으로 갑상선호르몬, 부신피질호르몬, 도파민, 브로모크립틴, 소마토스타틴 등은 반응을 억제한다.

- 항갑상선제, 무기 옥소, 담낭조영제, 메토클로프라미드 등은 반응을 촉진한다.

7. 부작용과 대책

- 대부분 부작용은 없다. 간혹 두통, 구역, 흉통 등과 드물게 요의, 변의 등이 있을 수 있으며 보통 1-2분 내에 소실된다.

8. 참고 사항

1) 시상하부 호르몬 부하검사에 무반응인 경우에도 뇌하수체의 파괴를 생각할 수 없다. 되먹이기 반응 또는 상위 중추의 자극 결여가 뇌하수체 세포의 호르몬 분비 상태를 조절하며, 뇌하수체의 장애 없이 시상하부 호르몬 자극에 무반응이 될 수 있다.

참고문헌 //

1) J. Larry jameson, et al. Harrison's Principles of Internal Medicine. 20th ed. New York: Mc-Graw-Hill. 2018;371.

2) Shlomo Mened MBchB MACP, et al. Williams Textbook of Endocrinology. 13th ed. Philadelpia: Elesvier Saunders. 2015;176-231.

프롤락틴 검사

프롤락틴(Prolactin)

1. 검사 목적

1) 무월경 원인의 선별검사와 감별
2) 기능성 뇌하수체 종양의 진단
3) 뇌하수체기능저하증의 원인 감별

2. 참고치

- 여성: 0-20 μg/L (1.9-25.9 ng/mL) 남성: 0-15 μg/L (1.6-23 ng/mL)

3. 이상치의 해석

증가	저하
프롤락틴선종 말단비대증 갑상선기능저하증 약제 임신, 산욕기 신부전증 기능성 프롤락틴혈증 Chiari-Frommel 증후군 시상하부 질환 비기능성 뇌하수체 종양에 의한 압박	범뇌하수체 기능저하증 쉬한 증후군 뇌하수체 수술 후

4. 검체의 채취와 취급

* 보통 아침 공복에 채혈하는 경우가 많으나, 아침 채혈에는 전날 밤의 높은 치에 영향이 남아 있어 높은 수치를 보일 수 있다. 예상외로 높은 경우에는 오전 11시 경에 다시 한 번 더 채혈하여 측정하는 것이 좋다. 검체는 혈청과 혈장 모두 이용 되며 채혈 후에도 비교적 안정하다.

5. 측정치에 영향을 주는 요인

1) 일중 변동: 야간 수면 시에 증가하며, 깨어나기 직전에 최고치에 도달하고, 그 후 저하된다.
2) 스트레스: 채혈 시의 통증에 경도의 증가를 보인다.
3) 식사, 운동: 일시적으로 증가한다.
4) 체위: 유방 자극에 의해 증가한다.
5) 성별: 여성에서 남성보다 높다.
6) 임신: 개월 수에 따라 증가한다.
7) 약제: 도파민 합성 억제제(레셀핀, 알파메틸도파), 도파민 수용체 억제제(크로르 프로마진, 티오리다진, 할로페리돌, 설피리드, 메토클로프라미드), 여성 호르몬 등에 의해 증가. 향정신약제, 위장약, 항구토제 등의 복용 병력에 주의를 요한다.

6. 참고 사항

1) 무월경의 환자의 15%에서 프롤락틴 증가가 발견되며, 무월경증의 원인 진단에 프롤락틴 측정의 중요성이 있다.

2) 기능성 뇌하수체 종양 중 프롤락틴 분비성 뇌하수체 종양이 절반 정도를 차지한다.

3) 프롤락틴의 분비 시상하부에서 분비되는 도파민에 의해 억제된다. 따라서 시상하부의 장애에 의해 도파민의 분비가 차단되거나 뇌하수체 줄기의 손상 등으로 인해 도파민에 뇌하수체에 전달되지 않는 경우 프롤락틴 분비는 증가한다.

4) 공복 시 아침 프롤락틴 수치를 측정하는데, 호르몬의 분비가 박동성이고 개인간의 차이가 있으므로 임상적으로 강력히 의심된다면 여러 다른 조건에서 측정해 볼 필요가 있다. 프롤락틴 수치가 1,000 μg/L 이상이면 실제보다 낮게 측정될 수 있으므로 검체를 희석하여 측정해야 한다.

5) 갑상선기능저하증에서 증가할 수 있으므로 고프롤락틴혈증 시 반드시 갑상선기능검사를 시행한다.

6) 프롤락틴 수치가 200 μg/L 이상이면 프롤락틴분비선종의 가능성이 높으며 200 μg/L 미만의 경우 프롤락틴 분비성 미세선종이나 다른 원인의 고프롤락틴혈증의 가능성이 있다. 이런 이유로 모든 고프롤락틴혈증 환자에게서 뇌자기공명영상 촬영을 시행해야 한다.

참고문헌 //

1) J. Larry jameson, et al. Harrison's Principles of Internal Medicine. 19th ed. New York: Mc-Graw-Hill. 2015;2762.

갑상선자극호르몬유리호르몬에 의한 프롤락틴 자극 검사

1. 검사 목적

1) 고프롤락틴혈증의 원인 추정

2) 뇌하수체 전엽의 기능 평가

2. 검사 원리

- 갑상선자극호르몬유리호르몬은 정상 뇌하수체 전엽을 직접 자극하여 프롤락틴을 분비한다.

3. 검사 방법

1) 갑상선자극호르몬유리호르몬 500 µg을 5 mL의 생리식염수에 용해하여 정맥주사 한다. 주사 전과 후 30, 60, 90, 120분에 채혈하여 프롤락틴을 측정한다.

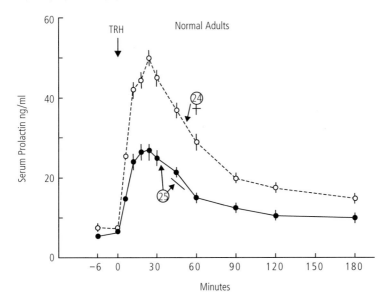

4. 판정 기준

- 정상반응: 프롤락틴이 2 µg/L 이상이고, 기저치의 200% 이상 증가한다.

5. 이상치의 해석

1) 무반응: 범뇌하수체 기능저하증, 프롤락틴선종(특히 기저치가 높은 경우).
2) 반응 저하: 프롤락틴선종, 시상하부 질환, 기능성 고프롤락틴혈증.

6. 부작용과 대책

- 갑상선자극호르몬유리호르몬에 의한 갑상선자극호르몬 자극 시험 참조.

7. 참고 사항

- 원칙적으로 프롤락틴선종은 갑상선자극호르몬유리호르몬에 반응이 적어 2배 이하로 증가하고, 기능성 고프롤락틴혈증에서는 양호하게 반응하나 예외적인 경우가 있다. 실제로 갑상선자극호르몬유리호르몬 자극시험만으로 감별이 어려운 경우가 많다.

참고문헌 //

1) J. Larry jameson, et al. Harrison's Principles of Internal Medicine. 20th ed. New York: Mc-Graw-Hill. 2018;371.

성선자극호르몬

황체형성호르몬(LH), 난포자극호르몬(FSH) 측정

1. 검사 목적
1) 성선 기능의 선별검사
2) 뇌하수체 전엽의 기능 판정

2. 참고치(IU/L)
◎ 남성

	소아	사춘기	성인
황체형성호르몬	0.1-2.4	0.2-12.4	2-12
난포자극호르몬	0.4-6.3	2.6-10.1	1-12

◎ 여성

	소아	사춘기	난포기	배란기	황체기	폐경기
황체형성호르몬	0.1-2.5	0.3-169.2	2-15	22-105	0.6-19	16-64
난포자극호르몬	0.5-7.5	2.0-16.7	3-20	9-26	1.0-12	18-153

3. 이상치의 해석

증가	저하
일차 난소기능저하증	범뇌하수체 기능저하증
갱년기, 폐경 후	쉬안 증후군, 뇌하수체 수술 후
일차 난소성 무월경증	성선자극호르몬 단독 결핍증
고환기능저하증	시상하부성 성선 기능저하증
터너 증후군	칼만 증후군
클라인펠터 증후군	사춘기 지연증
고환성 여성화증	신경성 식욕부진증

4. 정상치에서 이상으로 판단

1) 시상하부성 무월경에서 황체형성호르몬, 난포자극호르몬이 정상치를 보이는 경우에는 부하 검사가 필요하다.
2) 정상 생리 주기를 보이는 폐경 전 여성은 정상 성선 기능을 시사한다.

5. 검체의 채취와 취급

• 수시 채혈한 혈청(여성에서는 반드시 채혈 시의 월경주기를 기재한다).

6. 측정치에 영향을 주는 요인

1) 일중 변동: 황체형성호르몬은 난포자극호르몬유리호르몬의 지배 하에 박동적으로 분비된다. 박동의 주기와 진폭은 성별, 연령, 월경주기에 따라 크게 다르다. 난포자극호르몬은 황체형성호르몬에 비해 반감기가 길어 말초 혈액에서 박동성 변화가 명확하지 않다.
2) 연령: 남녀 모두 소아기에는 낮으나, 황체형성호르몬은 점차 증가하며, 난포자극호르몬은 여성에서 사춘기 전후에 현저히 증가된다. 남녀 모두 40세 이후에 증가하며, 그 정도는 여성에서 현저하다.
3) 임신: 저하된다.
4) 약제: 당질코르티코이드, 성선 스테로이드, 향정신약제 등의 영향을 받는다.
5) 운동, 체위: 영향이 없다.

7. 참고 사항

1) 뇌하수체가 정상이며 성선호르몬 분비 장애가 있으면 되먹이기 기전에 의해 성선자극호르몬은 지속적으로 증가된다.

2) 뇌하수체 전엽 호르몬 중에서 성선자극호르몬은 조기에 분비장애를 보이므로 뇌하수체 기능저하증의 발견에 이용할 수 있다. 황체형성호르몬은 박동적으로 분비되므로 말초 혈액 측정에서 저하되어 있다고 해서 반드시 호르몬 분비 저하를 반영하는 것은 아니므로 판정에 주의를 요한다.

3) 측정에 사용되는 표준품은 국제적으로 통용되는 폐경기 부인의 소변에서 추출 정제한 표준 물질이며 뇌하수체에서 기원한 표준물질과 다를 수 있다. 최근 측정법이 종래의 RIA에서 면역방사계측검사로 바뀌어 감도가 좋아졌다. 또한 참고치가 종래 방법과 차이가 나므로 주의를 요한다.

4) 난포기 초기에는 황체형성호르몬, 난포자극호르몬의 기초 분비를 보이며, 박동적 분비의 진폭도 적어 비교적 안정된 수치를 볼 수 있다. 배란기(surge 시기)에 채혈한 경우에는 매우 높은 치를 보이므로 주의를 요한다.

5) 종래 방법에서 황체형성호르몬과 인융모성선자극호르몬의 교차반응은 면역방사계측검사법에서는 적어 임신부에서 황체형성호르몬을 측정할 수 있다.

참고문헌 ///

1) J. Larry jameson, et al. Harrison's Principles of Internal Medicine. 19th ed. New York: McGraw-Hill. 2015;2760-1.

황체형성호르몬유리호르몬에 의한 황체형성호르몬 및 난포자극호르몬 자극 검사

1. 검사 목적

1) 성선 기능저하증의 원인 추정

2) 범뇌하수체기능저하증의 선별 검사

2. 검사 원리

- 합성 황체형성호르몬유리호르몬(LHRH)은 뇌하수체 세포를 직접 자극하여 황체형성호르몬, 난포자극호르몬을 분비한다.

3. 검사 방법

1) 정상 월경주기의 여성에서는 난포기 초기에 검사한다.
2) 합성 황체형성호르몬유리호르몬 100 μg을 5 mL의 생리식염수에 희석하여 2-3분에 걸쳐 서서히 정맥주사하고, 주사 전과 후 15, 30, 60, 90, 120분에 채혈하여 황체형성호르몬, 난포자극호르몬을 측정한다.
3) 합성 황체형성호르몬유리호르몬 100 μg을 5 mL의 생리식염수에 희석하여 2-3분에 걸쳐 서서히 정맥주사하고, 주사 전과 후 30, 60분에 채혈하여 황체형성호르몬, 난포자극호르몬을 측정한다.

4. 정상반응

1) 황체형성호르몬은 30분에 최고치에 도달하며 기저치보다 10 (IU/L) 증가, 난포자극호르몬은 60-120분에 최고치에 도달하며 기저치보다 2 (IU/L) 증가한다.
2) 정상 여성에서는 배란기≥황체기≥난포기의 순서로 반응이 크다.
3) 폐경 여성에서는 일반적으로 난포자극호르몬이 40 (IU/L) 이상 측정되며, 이보다 낮을 성선자극호르몬 결핍증을 시사한다.

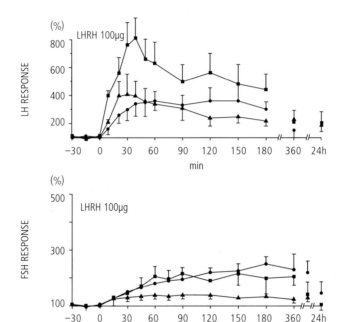

5. 이상치의 해석

1) 무반응: 뇌하수체성 성선 기능저하증
2) 반응저하 또는 지연반응: 시상하부성 성선 기능저하증
3) 과잉반응: 원발성 성선 기능저하증, 갱년기, 폐경 후
4) 황체형성호르몬 단독 과잉반응: 다낭포성 난소

6. 검사에 영향을 주는 요인

- 식사, 운동, 스트레스에 영향을 받지 않으므로 반드시 아침 공복에 시행할 필요는 없다. 여성에서는 월경주기에 크게 영향을 받으므로 검사 시기에 주의를 요한다.

7. 부작용과 대책

- 대부분 부작용이 없다. 간혹 가벼운 어지러움증, 경도의 혈압 상승, 맥박의 증가

를 볼 수 있다.

8. 참고 사항

1) 성선 기능저하증에서 성선자극호르몬을 측정하여 성선자극호르몬 저하성 성선 기능저하증(뇌하수체, 시상하부 장애)과 성선자극호르몬 증가성 성선 기능저하 증(성선 장애, 성선 호르몬 불응증)을 구별할 수 있으나 성선자극호르몬은 박동 적으로 분비되므로 1회 측정으로 확정할 수 없으며, 많은 예에서 황체형성호르 몬유리호르몬 자극 시험이 중요하다.

2) 선별 검사에서 갑상선자극호르몬유리호르몬 자극 시험과 동시에 실시하는 것이 좋다.

3) 시상하부 장애에서 뇌하수체의 성선자극호르몬 생산세포가 황체형성호르몬유 리호르몬의 자극을 받지 못한 상태가 오랫동안 지속되면 1회 자극으로 호르몬 분비가 충분하지 않다. 특히 반응 최고치가 지연반응을 보이는 경우 이런 가능성 이 많다. 이 경우에는 (가) 황체형 성호르몬유리호르몬 100 μg을 5일간 근육주사 하거나, (나) 간헐적 투여 펌프를 이용하여 황체형성호르몬유리호르몬 10-20 μg 을 90분 간격으로 5일간 계속 투여 후, 황체형성호몬유리호르몬 시험을 다시 시 행하면 반응성의 회복을 확인할 수 있다. 특히 후자의 방법은 치료에도 사용할 수 있다.

참고문헌 ///

1) J. Larry jameson, et al. Harrison's Principles of Internal Medicine. 20th ed. New York: Mc-Graw-Hill. 2018;372.

2) Shlomo Mened MBchB MACP, et al. Williams Textbook of Endocrinology. 14th ed. Phila-delpia: Elesvier Saunders. 2019;661.

클로미펜에 의한 황체형성호르몬 및 난포자극호르몬 자극 검사

1. 검사 목적

- 시상하부성 성선 기능저하증과 뇌하수체성 성선 기능저하증의 감별

2. 검사 원리

- 클로미펜은 시상하부 세포의 에스트로겐 수용체에 작용하여 에스트로겐의 음성 되먹이기 기전 효과를 저하시켜 LHRH의 분비를 자극한다.

3. 검사 방법

- 클로미펜 100 mg을 7일간 투여(월경이 있는 여성에서는 월경주기 5일에 시작) 하며, 매일 혈청 황체형성호르몬, 난포자극호르몬을 측정한다.

4. 판정 기준

- 정상반응: 2일부터 증가되며, 5-7일에 최고치에 도달한다. 황체형성호르몬은 기 저치의 2-4배, 난포자극호르몬은 1.5-2배 증가한다.

5. 이상치의 해석

- 반응저하 또는 무반응: 뇌하수체성 성선 기능저하증, 시상하부성 성선 기능저하증.

6. 부작용과 대책

- 일시적인 어지러움증이 나타날 수 있다.

7. 참고 사항

- 황체형성호르몬유리호르몬의 분비상태를 황체형성호르몬, 난포자극호르몬으로 추정하는 검사이며, 황체형성호르몬유리호르몬 시험에 무반응인 환자에서는 의 미가 적다. 황체형성호르몬유리호르몬 시험만으로 감별할 수 없는 경우에 시행 된다.

참고문헌 //

1) Shlomo Mened MBchB MACP, et al. Williams Textbook of Endocrinology. 14th ed. Philadelpia: Elesvier Saunders. 2019;661.

부신피질자극호르몬 검사

부신피질자극호르몬(Adrenocorticotropic hormone, ACTH) 측정

1. 검사 목적
1) 쿠싱증후군의 감별진단
2) 뇌하수체 전엽 기능의 판정
3) 부신피질 기능의 판정

2. 참고치
• 1.3-16.7 pmol/L (6-76 pg/mL)

3. 이상치의 해석

<table>
<tr><td colspan="2"></td><td colspan="2">부신피질자극호르몬</td></tr>
<tr><td colspan="2"></td><td>증가</td><td>저하</td></tr>
<tr><td rowspan="4">코르티솔</td><td>증가</td><td>쿠싱병
이소성 부신피질자극호르몬 생산 종양
이소성 CRH 생산 종양
스트레스, 발열, 우울증,
신경성 식욕부진증, 영양불량,
당질코르티코이드 불응증</td><td>쿠싱증후군
　(부신 선종, 부신 암, 결절성 증식증)
히드로코르티손 투여</td></tr>
<tr><td>저하</td><td>애디슨병
　선천성 부신피질증식증
넬슨 증후군
부신피질자극호르몬 불응증</td><td>뇌하수체질환
　범뇌하수체 기능저하증
　부신피질자극호르몬 단독결핍증
시상하무실환
덱사메타손 투여</td></tr>
</table>

4. 검체의 채취와 취급
1) 아침 공복에 30분 이상 안정 후, 통증과 공포감이 없는 상태에서 채혈한다.
2) 코르티솔을 동시에 측정하며, 채혈 시간을 반드시 기록해둔다.
3) 얼음물을 담은 종이컵을 미리 준비하고, EDTA가 들어있는 시험관을 채취 전에

냉각시켜 놓아야 하며, 실험실에 4℃ 원심분리기를 가동시켜둔다. 채혈 후 신속히 혈장을 분리한 후 측정시까지 -20℃에 보관한다.

4) 부신피질자극호르몬 측정에서 이러한 준비가 제대로 안되면 검사치를 믿을 수 없게 된다.

5. 측정치에 영향을 주는 요인

1) 부신피질자극호르몬의 분비는 일중 변동이 있으며, 박동적 분비가 있고, 생물학적 반감기가 약 5분이므로, 채혈과 결과 판단에 주의가 필요하다.

2) 일중 변동으로 오전 4-8시에 최고치가 되며, 밤 10시에서 새벽 1시에 최저치를 보인다.

3) 부신피질자극호르몬은 정신적 및 육체적 스트레스에 큰 영향을 받는다.

4) 식사와 체위에는 큰 영향이 없다.

5) 연령별로 15-90세 사이에 큰 차이가 없다.

6) 부신피질호르몬, 바소프레신, 인슐린, 도파민 등의 약제 투여에 영향을 받는다.

6. 참고 사항

1) 쿠싱증후군의 진단에서 부신피질자극호르몬 의존성과 비의존성의 구분이 중요하다. 과거 부신피질자극호르몬 측정의 정확도가 떨어져 각종 부하검사가 이용되었으나 최근에는 부신피질자극호르몬 측정 방법의 발전으로 부신피질자극호르몬 단독 검사만으로도 추정이 가능하다.

2) 과거 방사면역 검사 방법으로 부신피질자극호르몬을 측정할 경우 혈장 추출이 필요하였으나, 면역방사계측검사 방법은 특이성과 감도가 높으며 추출 조작이 필요 없다.

3) 일중 변동은 수면과 각성의 주기를 따르며, 야간 작업자에서는 밤에 올라갈 수 있으므로 주의를 요한다.

4) 예상외로 높은 수치가 나왔을 때는 스트레스가 있었는지 채혈 상황을 점검하고, 안정 시에 재검사한다. 덱사메타손 1 mg을 밤 11시에 투여 후 다음 날 아침 채혈하는 억제시험을 실시한다.

참고문헌 //

1) J. Larry jameson, et al. Harrison's Principles of Internal Medicine. 19th ed. New York: Mc-Graw-Hill. 2015;2757.

하추체 정맥동(Inferior petrosal sinus) 채혈

1. 검사 목적
- 부신피질자극호르몬 의존형 쿠싱증후군의 원인 감별 및 위치 확인

2. 검사 원리
- 뇌하수체의 호르몬의 분비는 뇌하수체를 싸고 있는 경정맥동을 통해 하추체 정맥동으로 이루어지며 뇌하수체의 각각 좌우측 절반부분에서는 해당 정맥동으로 뇌하수체 호르몬을 분비한다. 따라서 뇌하수체 양쪽의 정맥동에서 동시에 측정한 부신피질호르몬을 측정함으로써 뇌하수체 내의 병변의 위치를 좌우측 정도까지는 구별이 가능하며 또한 이소성 부신피질자극호르몬 분비병변을 감별하는데 가장 좋은 방법이다. 특히 쿠싱증후군의 임상적 특성이 있으나 뇌하수체에 대한 영상 검사에서 음성인 경우 뇌하수체 내의 병변의 위치를 확인할 수 있는 가장 좋은 방법이다.

3. 검사 방법
- 하룻밤 금식 후 누워있는 상태에서 양쪽의 대퇴정맥(femoral vein)에 도관을 동시에 삽관히여 도관의 말단부를 양측 하추 징맥동(inferior petrosal sinus)에 위치시킨 후 부신피질자극호르몬유리호르몬 1 μg/kg or 100 μg 또는 Desmopressin 10 μg 을 정주하기 전과 후 3, 5, 10, 15분에 양측 하추 정맥동과 말초혈액에서 시료를 동시에 채취한다.

4. 판정 기준
1) 쿠싱병인 경우 부신피질자극호르몬이 증가되어 말초혈액 대 정맥동의 기저치 비

는 1 : 2 이상으로 측정되고 자극 후 1 : 3 이상이 된다.

2) 이소성 부신피질자극호르몬 분비병변: 정맥동과 말초혈액의 부신피질자극호르몬 측정치가 유사하다.

3) 뇌하수체내 좌, 우측 병변의 확정: 부신피질자극호르몬의 측정치가 부신피질자극호르몬유리호르몬 투여 전이나 후에 모두 좌우측을 비교하였을 때 1.4배 이상 차이가 나면 높은 쪽에 병변이 있음을 진단할 수 있다.

4) 좌우 정맥동과 말초혈액의 프로락틴 수치 비가 1.8 이상일 경우 성공적인 도관 삽입을 시사하며, 그 이하일 경우 도관 삽입이 적절치 않았을 가능성을 시사할 수 있다.

5. 참고 사항

1) 이 진단법은 고난도의 기술을 요하는 방법으로 시술 방사선과 의사의 도관 삽입술의 정교함에 따라 결과가 좌우될 수 있다.

2) 주의사항으로 시료채취 전에 도관의 끝이 정확한 위치에 삽입되었는지 확인해야 하며 정맥동의 해부학적 변이가 없는지 확인해야 한다. 경우에 따라서는 위음성의 결과를 도출할 수 있기 때문이다.

6. 부작용과 대책

1) 부작용으로는 일과성의 혈종의 형성으로 귀의 불편함 혹은 통증을 유발할 수 있다. 심한 경우는(<1%)이 발생할 수도 있다. 이러한 징후가 보일 경우 즉시 시술을 중단하고 헤파린을 투여해야 한다.

2) 부신피질자극호르몬유리호르몬 자체로는 대부분 큰 문제가 없으나 얼굴의 홍조, 금속성 입맛 등이 있을 수 있다.

3) 드물게는 뇌하수체졸중이 유발될 수 있다.

참고문헌 //

1) J. Larry jameson, et al. Harrison's Principles of Internal Medicine. 20th ed. New York: Mc-Graw-Hill. 2018;373.

2) Shlomo Mened MBchB MACP, et al. Williams Textbook of Endocrinology. 14th ed. Philadelpia: Elesvier Saunders. 2019;1587.

부신피질자극호르몬유리호르몬에 의한 뇌하수체-부신피질 축 기능 검사

1. 검사 목적
1) 쿠싱증후군의 감별
2) 부신피질자극호르몬 분비능의 검사

2. 검사 원리
- 부신피질자극호르몬유리호르몬(corticotropin releasing hormone, CRH)은 뇌하수체 부신피질자극호르몬 생산 세포에 직접 작용하여 부신피질자극호르몬 분비를 촉진하고, 부신피질에서 코르티솔을 분비한다.

3. 검사 방법
1) 아침 공복에 1시간 정도 안정 후에 실시한다.
2) 부신피질자극호르몬유리호르몬 100 μg(또는 체중 kg 당 1 μg)을 정맥주사한다.
3) 주사 전과 후 15, 30, 60, 90, 120분에 채혈하여 혈장 부신피질자극호르몬과 혈청 코르티솔을 측정한다.

4. 판정 기준
- 정상반응: 부신피질자극호르몬과 기저치에 비해 2-4배 상승하고 최고치는 20-100 pg/mL, 혈청 코르티솔이 20-25 μg/dL 이상

5. 이상치의 해석
1) 무반응: 범뇌하수체 기능저하증, 부신피질자극호르몬 단독결핍증, 부신선종에 의한 쿠싱 증후군
2) 과잉반응: 쿠싱병, 애디슨병, 선천성 부신피질증식증, 넬슨 증후군
3) 부신피질자극호르몬 증가와 무반응: 이소성 부신피질자극호르몬 생산종양, 쿠싱병의 일부
4) 지연반응: 시상하부성 뇌하수체 기능저하증

6. 검사에 영향을 주는 요인

1) 스트레스
2) 양의 부신피질자극호르몬유리호르몬(ovine CRH)은 사람의 부신피질자극호르
   몬유리호르몬보다 반응이 크고 명확하다.

7. 부작용과 대책

- 일시적인 안면 열감과 홍조가 있으나 안정하면 소실된다.

8. 참고 사항

1) 양의 부신피질자극호르몬유리호르몬은 드물게 과민반응이 있을 수 있어 검사 전
   피내반응 검사를 실시한다.
2) 검사 전에 충분히 안정하지 않으면 정상인에서도 반응이 저하된다. 부신피질자
   극호르몬의 분비는 정신적 스트레스의 영향이 크므로 부하 검사 전에 긴장 상태
   에 있으면 높이 증가되고, 자극 시에도 증가하지 않는다. 채혈 방법과 분위기에
   충분한 주의가 필요하다.
3) 이러한 주의를 기울여도 정상인에서 부신피질자극호르몬유리호르몬 단독으로
   반응이 저하되는 경우가 있으며, 이 경우에는 바소프레신을 병용하여 부신피질
   자극호르몬유리호르몬 반응을 증가시킬 수 있다.
4) 이소성 부신피질자극호르몬 생산종양의 일부에서는 부신피질자극호르몬유리호
   르몬에 반응한다.

참고문헌 //

1) J. Larry jameson, et al. Harrison's Principles of Internal Medicine. 20th ed. New York: Mc-
   Graw-Hill. 2018;379.
2) Shlomo Mened MBchB MACP, et al. Williams Textbook of Endocrinology. 14th ed. Phil-
   adelpia: Elesvier Saunders. 2019;1587.

바소프레신에 의한 부신피질 자극호르몬 자극 검사

1. 검사 목적
1) 쿠싱증후군의 감별
2) 부신피질자극호르몬 분비능의 검사

2. 검사 원리
- 바소프레신 및 데스모프레신은 쿠싱병에서 corticotroph-specific V3(혹은 V1b)를 통하여 부신피질자극호르몬 분비를 자극한다.

3. 검사 방법
- 아침 공복에 합성 바소프레신 10단위를 근육 주사하며, 주사 전과 후 15, 30, 60, 90, 120분에 채혈하여 혈장 부신피질자극호르몬과 혈청 코르티솔을 측정한다.

4. 판정 기준
- 정상반응: 부신피질자극호르몬은 15-30분에 최고치에 도달하여, 기저치의 2배 이상 증가하고, 코르티솔은 30-60분에 최고치에 도달하여 기저치의 2배 이상 증가한다.

5. 이상치의 해석
1) 무반응: 범뇌하수체 기능저하증, 부신피질자극호르몬 단독결핍증, 부신선종에 의한 쿠싱증후군
2) 반응 저하: 시상하부성 뇌하수체 기능저하증, 신경성 식욕부진증
3) 정상치 무반응: 이소성 부신피질자극호르몬 생산 종양
4) 지연반응: 시상하부성 뇌하수체 기능저하증

6. 검사에 영향을 주는 요인
- 스트레스

7. 부작용과 대책

1) 바소프레신은 말초혈관의 수축작용이 있어 안면창백, 혈압상승, 부정맥, 장운동 자극에 의한 복통 등이 있다.

2) 협심증, 뇌동맥경화증 환자, 고혈압 환자에서는 시행하지 않는 것이 좋다.

8. 참고 사항

1) 부작용이 많은 검사이므로 최근에는 부신피질자극호르몬유리호르몬 시험이 이용된다.

2) 바소프레신은 정맥주사하지 않는다.

3) DDAVP 주사를 이용할 수 있다.

참고문헌 ///

1) Findling JW, Raff H. Diagnosis of Endocrine Disease: Differentiation of pathologic/neoplastic hypercortisolism (Cushing's syndrome) from physiologic/non-neoplastic hypercortisolism (formerly known as pseudo-Cushing's syndrome). Eur J Endocrinol 2017;R205:176.

2) Vassiliadi DA, Tsagarakis S. Diagnosis of Endocrine Disease: The role of the desmopressin test in the diagnosis and follow-up of Cushing's syndrome. Eur J Endocrinol 2018;R201:178.

02

뇌하수체 후엽 기능 검사

항이뇨호르몬(Anti-diuretic hormone, ADH)

1. 검사 목적
1) 요붕증의 진단
2) 항이뇨호르몬 분비이상 증후군(syndrome of inappropriate secretion of ADH, SI-ADH)의 진단

2. 검사 방법
1) EDTA 시험관에 채혈한다.
2) 채혈 후 되도록 빨리 혈장을 분리하여 -20℃에 보관한다.
3) 동시에 혈장 삼투압과 혈청 나트륨 농도를 측정한다.

3. 부작용과 대책
- 없다.

4. 참고치
- 0.8-6.3 pg/mL
- 항상 혈장 및 소변 삼투압을 고려해서 판단해야 한다.

5. 이상치의 해석

증가	저하
(혈장 삼투압에 비해 높은 치)	(혈장 삼투압에 비해 낮은 치)
항이뇨호르몬 분비이상 증후군	중추성 요붕증
신성 요붕증	원발성 다음증
부종성 질환	본태성 고나트륨혈증
간경변증, 심부전증, 신부전증	
저장성 탈수	
부신피질 기능저하증	
갑상선기능저하증	

6. 측정치에 영향을 주는 요인

1) 일중 변동: 밤에는 낮보다 높다.

2) 스트레스: 한냉 자극에서 저하한다.

3) 체위: 누운 위치에서 선 위치보다 저하한다.

4) 임신: 항이뇨호르몬의 분비 저하에 의해 혈장 삼투압이 저하된다.

5) 약제: 니코틴, 바르비탈, 크로피브레이트, 카바마제핀 등은 분비 촉진, 알코올, 디페닐히딘 토인 등은 분비억제.

7. 참고 사항

1) 종래 방사면역검사법에 의한 항이뇨호르몬 측정은 감도에 문제가 있었으나 최근 고감도 측정법이 개발되었다. 항이뇨호르몬 결과는 삼투압 및 나트륨 농도에 따라 판정하나, 1회 측정으로 판독이 어려운 경우에는 탈수 시험을 이용한다. 혈장 항이뇨호르몬의 반감기는 약 10분이며, 항이뇨호르몬의 신장 감수성은 개인차가 커서 항이뇨호르몬 측정만으로 항이뇨호르몬 분비이상 증후군을 진단하기 어려운 경우도 있다.

2) SIADH에서 안정 공복 시 항이뇨호르몬치는 1.1-5.8 pg/mL 정도이고, 정상치와 구별이 어려운 경우가 있다. 그러나 혈장 삼투압 200 mosm 이하, 혈청 나트륨 125 mEq/L 이하에서 항이뇨호르몬이 1 pg/mL 이상이면 SIADH의 가능성이 높다.

3) 2-3%의 혈장 삼투압 변화는 혈장 항이뇨호르몬을 3-5배 증가시킨다. 측정치는 항상 혈장 삼투압에 따라 판정한다. 정상인에서 혈장 삼투압의 증가 없이 항이뇨

호르몬이 분비되며, 14시간 수분제한으로 3-10 pg/mL에 도달한다.

4) 혈청 나트륨 농도는 EDTA 첨가에 의해 증가될 수 있으므로 항이뇨호르몬과 별도의 시험관에 채혈하여 측정한다.

5) 혈장 및 요중 삼투압과 항이뇨호르몬의 상관관계에 의한 요붕증의 감별진단.

참고문헌 //

1) Rifai, et al. Tietz Textbook of Clinical Chemistry and Molecular Diagnostics. 8th ed. New York: WBSaundersCo. 2017;1749.

수분제한 및 피트레신 투여에 의한 요농축능 검사
(Water Deprivation Test & Pitressin Stimulation Test)

1. 검사 목적
1) 중추성 요붕증의 확정 진단
2) 요붕증과 심인성 다음증의 감별
3) 중추성 요붕증과 신성 요붕증의 감별

2. 검사 방법
1) 검사 전날 수분 섭취에 제한을 두지 않는다.
2) 검사 12시간 전부터는 커피, 차, 술, 담배는 하지 않도록 한다.
3) 오전에 체중을 재고, 소변과 정맥혈(EDTA 튜브)을 채취하여 삼투압을 측정한다.
4) 8시간 동안 수분 섭취를 제한한다.
5) 1시간 간격으로 체중을 잰 후 체중이 기초 체중에 비해 3-5% 이상 감소하거나 갈증이 참을 수 없을 정도이면 수분제한 검사를 종료하고 피트레신 검사를 시행한다.
6) 1시간 간격으로 소변을 보게 하여 소변양을 재고 소변에서 삼투압을 측정한다.
7) 1시간 간격으로 정맥혈을 채혈하여 혈장 삼투압을 측정한다.

8) 수분제한 검사 동안 환자가 수분을 섭취하지 못하도록 감시한다.

9) 수분제한은 다음 중 한가지 소견이 보이면 중지한다.

① 소변 삼투압이 3시간 연속 30 mOsm/kg 이상 증가하지 않는다.

② 혈장 삼투압이 정상의 상한을 넘는다.

③ 혈청 나트륨이 정상이 상한을 넘는다.

④ 체중이 5% 이상 감소한다.

⑤ 환자가 더는 견디지를 못한다.

10) 피트레신 검사는 바소프레신 5단위를 피하주사하거나 데스모프레신(피트레신) 5-10단위(1-2 μg)를 피하, 근육 혹은 정맥주사한 후 30, 60, 90, 120분에 소변과 혈장 삼투압을 측정한다.

11) 이 때는 환자에게 식사나 음료를 먹을 수 있도록 허용한다. 단, 수분제한 검사 시의 총 소변량의 1.5-2.0배 이하로 제한한다.

3. 판정 기준

1) 정상 반응

- 정상인에서 혈장 삼투압의 기저치는 300 mOsm/kg 을 넘지 않는다. 소변 삼투압은 800 mOsm/kg H_2O 이상으로 되고, 소변 삼투압/혈장 삼투압비는 2 이상이 된다. 다뇨증이 있는 환자에서 소변 삼투압이 600 mOsm/kg H_2O 이상이면 항이뇨호르몬 분비는 정상으로 생각한다.

- 정상인에서는 피트레신 투여 후에도 내인성 ADH 분비가 있으므로 소변 삼투압이 50% 이상 증가되지 않는다.

2) 이상치의 해석

① 완전 중추성 요붕증: 충분한 수분제한에도 소변 삼투압이 300 mOsm/kg 미만이며 항이뇨 호르몬 투여 후 소변 삼투압이 50% 이상 증가한다.

② 완전 신성 요붕증: 충분한 수분제한에도 소변 삼투압이 300 mOsm/kg 미만이며 항이뇨호르몬 투여 후 소변 삼투압의 변화가 거의 없음없다(9% 이하 상승).

③ 원발성 다음증(primary polydipsia), 부분 중추성 요붕증 혹은 부분 신성 요붕증: 충분한 수분제한 후 소변 삼투압이 300 mOsm/kg, 요비중이 1.010을 넘는다. 비록 부분 중추성 요붕증의 경우 항이뇨호르몬의 투여에 소변 삼투압이 10%이상 상승하지만 세 질환을 감별 할 수 있는 명백한 진단기준은 모호하

다. 이럴 경우 검사도중에 측정한 항이뇨호르몬, 혈액 및 소변 삼투압의 상관
관계로 감별할 수 있다. 부분 신성 요붕증의 경우 소변 삼투압과 항이뇨호르
몬의 상관관계에서 부분 중추성 요붕증이나 원발성 다음증과 감별할 수 있다.
부분 중추성 요붕증과 원발성 다음증은 혈액 삼투압이 정상이상으로 상승하
였을 때 항이뇨호르몬 수치를 측정해서 감별할 수 있다. 만약 혈액 삼투압이
정상이상으로 상승하지 않으면 고장성 식염수 부하검사를 시행할 수 있다.

3) 혈장 및 요중 삼투압과 항이뇨호르몬(ADH)의 상관관계에 의한 요붕증의 감별
진단

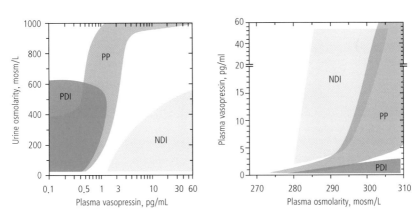

PDI; pituitary diabetes insipidus, NDI; nephrogenic diabetes insipidus, PP; primary polydipsia

4. 참고 사항

1) 중추성 요붕증에서 수분제한으로 소변 삼투압이 증가하지 않는 경우가 있어 혈
장 항이뇨호르몬의 동시 측정이 필수적이다. 원발성 다음증에서는 원칙적으로
수분제한으로 항이뇨호르몬이 분비되어 삼투압이 증가한다.

2) 완전 요붕증 환자에서 4-6시간의 수분제한이 필요하다.

3) 수분 저류 상태에서는 항이뇨호르몬에 대한 감수성이 저하한다.

참고문헌 ///

1) J. Larry jameson, et al. Harrison's Principles of Internal Medicine. 20th ed. New York: Mc-
Graw-Hill. 2018;374.

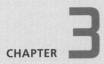

CHAPTER

갑상선

삼요오드티로닌(Triiodothyronine, T3)

1. 검사 목적
1) 삼요오드티로닌 중독증의 진단
2) 갑상선 기능이상의 판정
3) 급성 중증 질환의 중증도 판정

2. 참고치
- 77-135 ng/dL (1.2-2.1 nmol/L)

3. 검체의 채취와 취급
- 안정시 수시채혈
- 혈청

4. 측정치에 영향을 주는 요인
1) 일중 변동: 없다.
2) 스트레스, 식사, 운동의 영향 없다.

5. 참고 사항
1) 갑상선기능의 평가에 티록신(thyroxine, T4)이 가장 널리 이용되나, 때로 T4는 정상 범위이며, 삼요오드티로닌만 이상치를 보이는 경우가 있다. 특히 갑상선중독증이 의심되나 티록신은 정상 범위이면 반드시 삼요오드티로닌을 측정하도록 한다. 티록신은 정상 범위이며 삼요오드티로닌만 증가되는 경우를 삼요오드티로닌 중독증(T3 toxicosis)이라 부른다.
2) 삼요오드티로닌 저하증후군: 뇌하수체의 갑상선자극호르몬 분비는 혈청 티록신 농도에 의존하며, 갑상선자극호르몬과 티록신은 정상 범위에 있으며 삼요오드티로닌만 저하되는 경우가 있다. 혈중 삼요오드티로닌의 80%는 간, 신장 등 말초 조직에서 티록신의 5'-탈요드 효소의 작용에 의해 생산되며, 이 효소의 활성은 금식, 신경성 식욕부진증, 간경변, 신부전, 급성 중증질환(발열, 패혈증) 등에서 저

하된다. 그 결과 혈중 총 삼요오드티로닌 농도가 저하된다. 이러한 저하 정도는 질환의 원인과 관계없이 질환의 중증도에 의해 결정된다.

3) 갑상선호르몬의 반감기는 티록신이 1주일, 삼요오드티로닌이 2일로 크게 차이가 있다. 갑상선 파괴에 의해 일시적으로 갑상선호르몬이 유출되고, 지속적으로 생산되지 않을 때는 티록신이 증가되며 삼요오드티로닌은 일찍 감소하여 삼요오드티로닌/티록신 비가 낮다. 따라서 삼요오드티로닌/티록신 비는 그레이브스병에 의한 갑상선기능항진증보다는 갑상선염이나 요오드-유발에 의한 갑상선중독증에서 더 낮은 경향이 있다. 갑상선기능저하증의 진단에서 삼요오드티로닌 측정은 도움이 안 된다. 중증 갑상선기능저하증으로 진행될 때까지 대부분 환자가 혈청 삼요오드티로닌은 정상이며, 비갑상선질환에서 갑상선 기능과는 무관하게 혈청 삼요오드티로닌이 감소하기 때문이다.

6. 이상치의 해석

증가	저하
갑상선중독증	갑상선기능저하증
그레이브스병	일차갑상선기능저하증
파괴성 갑상선중독증	만성갑상선염
무통갑상선염	원발성 점액부종
아급갑상선염 일부	갑상선 수술 후
자율 기능성 갑상선 결절	방사성 요오드 투여 후
중독성 선종	뇌하수체성 갑상선기능저하증
중독성 다결절성 갑상선종	시상하부성 갑상선기능저하증
갑상선자극호르몬 생산종양	티록신결합글로불린 감소
인융모성선자극호르몬 생산종양	삼요오드티로닌 저하증후군
갑상선호르몬 과잉복용	
삼요오드티로닌 중독증	
티록신결합글로불린 증가	
갑상선호르몬 불응증	

참고문헌 //

1) J. Larry jameson, et al. Harrison's Principles of Internal Medicine. 20th ed. New York: Mc-Graw-Hill. 2018;2697.

2) Shlomo Mened MBchB MACP, et al. Williams Textbook of Endocrinology. 14th ed. Philadelpia: Elesvier Saunders. 2019;1106.

3) 조보연. 임상갑상선학. 제4판. 서울: 고려의학. 2014;113.

유리삼요오드티로닌(Free T3, FT3)

1. 검사 목적
- 혈청 총 삼요오드티로닌의 수치 변동이 혈중 단백질 결합에 의한 것으로 생긴 것이 의심될 때

2. 참고치
- 2.4-4.2 pg/mL (3.7-6.5 pmol/L)

3. 검체의 채취와 취급
- 안정시 수시 채혈
- 혈청

4. 측정치에 영향을 주는 요인
1) 일중 변동: 없다.
2) 스트레스, 식사, 운동의 영향: 없다.

5. 참고 사항
1) 갑상선 기능의 선별검사에서 혈청 유리 티록신(FT4)과 혈청 갑상선자극호르몬 검사가 추천된다. 때로 유리 티록신치가 정상범위에 있으나 유리 삼요오드티로 닌치만 이상을 보이는 경우가 있으므로(특히 그레이브스병의 초기 또는 치료중) 의심스러운 경우에는 3가지를 측정하는 것이 좋다.
2) 삼요오드티로닌 저하증후군에서는 삼요오드티로닌처럼 유리 삼요오드티로닌도 저하되며, 이 경우에는 갑상선자극호르몬을 측정하여 정상이면 갑상선기능저하 증과 구별할 수 있다. 간편한 방법은 유리 티록신/유리삼요오드티로닌 비를 이용 하여 감별할 수 있으며, 삼요오드티로닌 저하증후군에서는 5'-탈요드효소의 활성 저하에 의해 유리 티록신은 정상범위에 있으나 유리삼요오드티로닌은 저하된다. 갑상선기능저하증에서는 유리 티록신이 저하된다.

6. 이상치의 해석

- 삼요오드티로닌(T3) 참조

참고문헌 //

1) J. Larry jameson, et al. Harrison's Principles of Internal Medicine. 20th ed. New York: Mc-Graw-Hill. 2018;2697.
2) Shlomo Mened MBchB MACP, et al. Williams Textbook of Endocrinology. 14th ed. Philadelpia: Elesvier Saunders. 2019;1106.
3) 조보연. 임상 갑상선학. 제4판. 2014;136.

▌역 삼요오드티로닌(Reverse T3, rT3)

1. 검사 목적

- 중증 질환에서 갑상선기능저하증의 감별진단에 유용하다(중증 질환에서 역 삼요오드티로닌 증가는 나쁜 예후를 반영함).

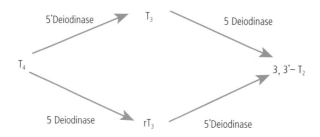

Normal

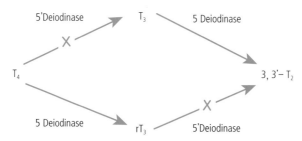

Euthyroid Sick Syndrome

T4의 정상의 대사 경로와 T3 저하증후군에서 교환 역 삼요오드티로닌 증가 경로

2. 참고치
- 10-24 ng/dL

3. 검체의 채취와 취급
- 안정시 수시 채혈
- 혈청

4. 측정치에 영향을 주는 요인
1) 상승되는 경우
    ① 신생아에서는 매우 높으나 출생 5일에 정상치로 저하된다.
    ② 티록신결합글로불린의 영향을 받아 임신이나 에스트로겐 투여에 의해 티록

신결합글로불린이 증가하는 경우에 상승된다.

③ 프로필치오우라실, 프로프라놀롤, 아미오다론, 덱사메타손, 할로탄 등의 약제 투여에서 증가한다.

2) 저하되는 경우

① 딜란틴 투여 후에는 티록신결합글로불린과의 결합 억제와 대사 증가로 저하 된다.

5. 참고 사항

1) 역 삼요오드티로닌은 삼요오드티로닌처럼 말초에서 티록신의 탈요오드화에 의 해 생성되며, 삼요오드티로닌과 역 삼요오드티로닌 형성은 신체 방어기전에 의 해 결정된다. 역 삼요오드티로닌의 생리적 활성은 거의 없다.

2) 정상 갑상선 중증질환 증후군(euthyroid sick syndrome)에서 역 삼요오드티로닌 은 증가되는데 그 기전은 5'-monodeiodinase 효소활성의 저하로, (가) 삼요오드 티로닌 생성이 저하되고, (나) 역 삼요오드티로닌의 이요오드티로닌(T2) 전환이 저하되기 때문이다.

참고문헌 //

1) J. Larry jameson, et al. Harrison's Principles of Internal Medicine. 20th ed. New York: McGraw-Hill. 2018;2693.

2) Shlomo Mened MBchB MACP, et al. Williams Textbook of Endocrinology. 14th ed. Philadelpia: Elesvier Saunders. 2019;176.

3) 조보연. 임상갑상선학. 제4판. 서울: 고려의학. 2014;31.

티록신(Thyroxine, T4)

1. 검사 목적
1) 갑상선 기능이상의 판정
2) 그레이브스병 치료 시작 후 효과의 판정

2. 참고치
- 5-12 µg/dL (58-174 nmol/L)

3. 이상치의 해석

증가	저하
갑상선중독증 　그레이브스병 　파괴성 갑상선중독증 　　무통갑상선염 　　아급갑상선염 일부 　자율 기능성 갑상선 결절 　　중독성 선종 　　　중독성 다결절성 갑상선종 　갑상선자극호르몬 생산종양 　인융모성선자극호르몬 생산종양 　갑상선호르몬 과잉복용 　삼요오드티로닌 중독증 티록신결합글로불린 증가 갑상선호르몬 불응증	갑상선기능저하증 　일차갑상선기능저하증 　　만성갑상선염 　　원발성 점액부종 　　갑상선 수술후 　　방사성 요오드 투여후 　뇌하수체성 갑상선기능저하증 　시상하부성 갑상선기능저하증 티록신결합글로불린 감소

4. 검체의 채취와 취급
- 혈청을 이용
- 안정시 채혈

5. 측정치에 영향을 주는 요인
1) 일중 변동: 없다.

2) 스트레스, 식사, 운동의 영향: 없다.

3) 임신: 에스트로겐에 의해 티록신결합글로불린의 증가에 따라 증가한다.

4) 약제: 티록신결합글로불린에 변화를 일으키는 약제(티록신결합글로불린 항목 참조).

6. 참고 사항

1) 정상치에서 이상으로 판독하는 경우: 경도의 갑상선기능이상증에서 갑상선자극 호르몬치가 이상이 있고, 티록신치가 정상범위에 있는 경우에 갑상선자극호르몬 치에 의해 판단한다.

2) 정확하게는 총 티록신으로 불러야하나 보통 티록신이라고 하면 총 티록신을 의미한다. 갑상선에서 분비되는 티록신은 대부분 혈중 티록신결합글로불린과 결합되어 있으며, 극히 일부만이(0.02-0.03%) 유리형으로 존재하여 말초조직에 작용한다. 갑상선의 기능상태를 평가하기 위해서는 유리 티록신 농도를 측정해야 하나 과거 측정 방법의 어려움으로 총 티록신이 널리 이용되어 왔다. 티록신결합 글로불린 농도가 정상이며, 티록신결합글로불린에 이상이 없는 조건에서는 혈청 총 티록신치는 갑상선 기능을 잘 반영한다.

3) 이상 알부민으로 갑상선호르몬 결합능이 증가되어 갑상선 기능이 정상이어도 티록신치가 높게 나오는 가족성 이상 알부민 고티록신혈증(Familial dysalbumin-emic hyperthyroxinemia)은 상염색체 우성으로 유전된다.

참고문헌

1) J. Larry jameson, et al. Harrison's Principles of Internal Medicine. 20th ed. New York: Mc-Graw-Hill. 2018;2697.

2) Shlomo Mened MBchB MACP, et al. Williams Textbook of Endocrinology. 14th ed. Philadelpia: Elesvier Saunders. 2019;1106.

3) 조보연. 임상갑상선학. 제4판. 서울: 고려의학. 2014;131-2.

유리 티록신(Free T4, FT4)

1. 검사 목적

1) 갑상선기능의 선별검사
2) 갑상선 질환의 경과 관찰

2. 참고치

- 0.7-1.24 ng/dL (9.0-16.0 pmol/L)

3. 이상치의 해석

- 티록신 항목참조

4. 검체의 채취와 취급

- 안정시 수시
- 채혈 혈청

5. 측정치에 영향을 주는 요인

1) 일중 변동: 없다.
2) 스트레스, 식사, 운동의 영향: 없다(알부민 농도에 영향을 받는 검사 키트가 있음).

6. 참고 사항

1) 유리 티록신은 직접 말초조직에 작용하며, 세포 내에서 탈요오드하여 삼요오드
티로닌을 만들고 핵에 결합하여 호르몬의 작용을 나타낸다. 총 티록신과 달리 티
록신결합글로불린의 영향을 받지 않으며, 일부 예외를 제외하고 유리 티록신 치
에 이상이 있는 경우에는 갑상선기능 이상으로 생각할 수 있어 갑상선기능의 선
별검사에 가장 유용하다. 그러나 갑상선의 기능상태를 시간 경과에 따라 관찰할
경우에는 변이 폭이 작아 예민도가 떨어진다.
2) 유리 티록신의 가장 정확한 측정법은 평형투석법이지만 측정 방법이 복잡하여

현재는 이용되지 않고, 티록신결합글로불린에 결합하지 않는 항 티록신 항체와의 결합 성질이 있는 티록신 유도체를 사용하는 유도체법이 개발되었다. 이 방법은 한 단계로 유리 티록신을 측정하여 간편하다. 그러나 표지 티록신 유도체가 알부민에 결합하므로 저알부민혈증에서 실제보다 저하된다. 또한 혈청에 티록신 항체가 존재하면 실제보다 높게 측정된다. 임상적으로 갑상선기능 상태와 측정 결과가 일치하지 않는 경우나 신질환, 간질환 등으로 혈청 알부민치에 이상이 있는 경우 및 티록신 항체가 존재하는 경우에는 평형투석법에 의한 유리 티록신을 측정한다.

3) 표지-항체(labeled antibody) 방법: 표지-항체 방법은 제한된 양의 표지-항체에 대해서 환자 혈청 안의 유리호르몬이 고형물에 부착시킨 호르몬 또는 호르몬 유도체와 경쟁하는 원리를 이용한 경쟁적 면역 측정법이다. 고형물에 결합하는 표지-항체의 양은 환자의 유리호르몬과 반비례한다. 이 방법 역시 유도체를 이용하므로 혈청 안의 결합 단백에 영향을 받는다. 그러나 고형화시킨 유도체는 결합단백과의 결합친화력이 감소하고 그 결과 유리호르몬이 정확하게 측정된다. 현재 가장 많이 사용되는 방법이다.

참고문헌

1) J. Larry jameson, et al. Harrison's Principles of Internal Medicine. 20th ed. New York: Mc-Graw-Hill. 2018;2697.
2) Shlomo Mened MBchB MACP, et al. Williams Textbook of Endocrinology. 14th ed. Philadelpia: Elesvier Saunders. 2019;1106-7.
3) 조보연. 임상갑상선학. 제4판. 서울: 고려의학. 2014;135.

갑상선자극호르몬(Thyroid stimulating hormone, TSH)

1. 검사 목적
1) 갑상선질환이 의심되는 경우에 갑상선기능의 이상 여부를 알고자 하는 선별검사
2) 갑상선기능저하에서 티록신 보충의 적절성 판정
3) 갑상선분화암 환자에서 티록신 억제요법의 적절성 판정

2. 참고치

- 0.34-4.25 μIU/mL (0.34-4.25 mIU/L)

3. 측정치에 영향을 주는 요인

1) 출생 직후 급격히 상승하였다가 출생 3일 후에는 성인의 정상범위로 내려온다.
2) 정상인에서 밤에 증가하고 낮에 감소하는 일중변동을 보인다.
3) 정상적인 야간증가가 일차갑상선기능저하증에서는 유지되지만 중추성 갑상선 기능저하증, 금식 및 비갑상선질환에서는 소실된다.
4) 여러 약제에 의하여 기저치가 감소할 수 있다(갑상선호르몬, 도파민, L-dopa, 브로모크립틴, 피리독신, 펜토라민, 세로토닌 길항제, 당류코르티코이드, 성장호르몬, 소마토스타틴, 아스피린, 크로피브레일, 아편제제).

4. 참고 사항

1) 혈청 갑상선자극호르몬은 방사면역측정법과 면역방사계수측정법의 두 가지 방법으로 측정한다. 방사면역측정법은 측정 예민도가 낮아서 정상의 하한치와 감소치 사이의 감별이 불가능하다. 반면 면역방사계수측정법은 측정예민도가 방사면역측정법보다 10-100배 높아서 0.05 μIU/mL 혹은 그 이하의 농도까지 측정이 가능하다. 따라서 1990년경부터 방사면역측정법을 대신하게 되었다. 최근 10년 사이에 방사성동위원소보다 더 예민한 화학발광(chemiluminescence)과 형광분자들을 이용하여 TSH 면역계수측정법의 예민도를 0.01 μIU/mL 정도까지 높였다. 현재는 이 방법으로 명백한 갑상선기능항진증과 무증상 갑상선기능항진증 모두를 갑상선자극호르몬유리호르몬 검사 없이 진단할 수 있게 되었다. 일차갑상선기능저하증은 혈청 갑상선자극호르몬 증가로 확인된다.
2) 혈청 갑상선자극호르몬이 정상이면 갑상선기능항진증 및 저하증을 제외할 수 있다.
3) 혈청 갑상선자극호르몬 측정이 갑상선기능변화를 반영하는 가장 예민한 방법이지만 비갑상선질환(nonthyroidal illness)의 일부에서 혈청 갑상선자극호르몬이 비정상으로 나타나므로 해석에 주의를 요한다. 특히 갑상선자극호르몬 분비를 억제하는 약제를 투여하고 있는 환자에서 혈청 갑상선자극호르몬이 억제되므로 유리 티록신 또는 유리삼요오드티로닌을 같이 측정하여 감별할 필요가 있다.
4) 시상하부 및 뇌하수체성 갑상선기능저하증에서는 혈청 갑상선자극호르몬이 정

상 또는 감소되므로 유리 티록신 측정과 갑상선자극호르몬유리호르몬 자극검사가 필요하다.

참고문헌 //

1) J. Larry jameson, et al. Harrison's Principles of Internal Medicine. 20th ed. New York: McGraw-Hill. 2018;2697.
2) Shlomo Mened MBchB MACP, et al. Williams Textbook of Endocrinology. 14th ed. Philadelpia: Elesvier Saunders. 2019;1105.
3) 조보연. 임상갑상선학. 제4판. 서울: 고려의학. 2014;136-7.

갑상선글로불린(Thyroglobulin)

1. 검사 목적
1) 갑상선 종양의 종양 표지자
2) 그레이브스병의 치료 경과 관찰
3) 아급성갑상선염의 경과 관찰

2. 참고치
- 1.3-31.8 ng/mL (13-318 μg/L)

3. 이상치의 해석

증가	저하
갑상선 종양 　갑상선선종, 갑상선암 그레이브스병 사람융모성선자극호르몬 무통성 갑상선염 아급성 갑상선염 하시모토갑상선염 수술, 세침흡인 방사성요오드 치료	갑상선 결손 　선천성 갑상선종 갑상선글로불린 합성장애 갑상선호르몬 투여 항갑상선글로불린항체 양성

4. 검체의 채취와 취급
- 혈청, 안정시 수시 채혈 가능

5. 측정치에 영향을 주는 요인
1) 일중 변동: 없다.
2) 스트레스, 식사, 운동, 체위 영향: 없다.

6. 참고 사항
- 갑상선글로불린은 갑상선호르몬의 전구호르몬(prehormone)이며 정상 갑상선에 다량 존재한다. 종양에서 갑상선글로불린의 미세구조가 변화하나 현재 사용하는 키트로 차이를 검출할 수 없으므로 갑상선글로불린 수치로 갑상선 종양의 양성, 악성의 감별은 할 수 없다. 그러나 갑상선암의 전적출 후 갑상선글로불린 수치의 추적 검사는 중요하며, 이를 통해 갑상선암의 재발을 의심할 수 있다.

혈청 갑상선글로불린 측정법의 문제점
(1) 혈청 갑상선글로불린 측정은 방사면역측정법과 면역계수측정법이 사용되는데 대부분의 검사실에서 면역계수측정법을 더 많이 사용한다. 갑상선글로불린 측정법마다 서로 다른 단클론항체를 사용하므로 방법마다 다른 항원결정기를 인식하게 되어 측정법에 따라 결과가 달라질 수 있다. 따라서 갑상선글로불린 측정은 동일 방법으로 동일 검사실에서 측정하여 연속적인 변화를 관찰해야 한다. 또한 측정방법 및 검사실에 따라 정상치가 달라서 비교가 어렵다.

(2) 갑상선글로불린 항체는 갑상선글로불린을 간섭하기 때문에 갑상선글로블린이 실제보다 낮게 측정되거나 또는 측정 자체가 안될 수 있다. 따라서 갑상선 분화 암에서 갑상선글로불린을 측정할 때에는 언제나 갑상선글로불린항체를 같이 측정하여 판정하여야 한다.

참고문헌

1) J. Larry jameson, et al. Harrison's Principles of Internal Medicine. 20th ed. New York: McGraw-Hill. 2018;2693.
2) Shlomo Mened MBchB MACP, et al. Williams Textbook of Endocrinology. 14th ed. Philadelpia: Elesvier Saunders. 2019;1113-4.
3) 조보연. 임상갑상선학. 제4판. 서울: 고려의학. 2014;144.

티록신결합글로불린(Thyroxine binding globulin, TBG)

1. 검사 목적
1) 총 티록신, 총 삼요오드티로닌을 이용한 갑상선 기능 검사의 평가
2) 유전성 티록신결합글로불린 이상증의 진단

2. 참고치
- 1.3-3.0 mg/dL (13-30 mg/L)

3. 이상치의 해석

증가	저하
유전성 티록신결합글로불린 증가증 에스트로겐 증가 　임신, 포상기태 　에스트로겐 생산종양 　경구 피임약 투여 갑상선기능저하증 급성 간염 급성 간헐성 포르피리아 골수종 교원병 티록신결합글로불린 생산종양(간암) 약제 　퍼페나진, 헤로인, 메사돈, 　클로피브레이트, 5-프루오우라실	유전성 티록신결합글로불린 결핍증 갑상선기능항진증 　영양불량 　신증후군 단백손실성 위장질환 간경변증 　말단비대증 　쿠싱증후군 약제 　안드로겐, 단백동화 호르몬제 　대량의 당질코르티코이드 　L-아스파라기나제

4. 검체의 채취와 취급
- 안정시 수시
- 채혈 혈청

5. 측정치에 영향을 주는 요인
1) 일중 변동: 없다.

2) 스트레스, 식사, 운동, 체위 영향: 없다.

3) 연령: 유아와 고령자에서 증가.

4) 임신: 2개월부터 증가하여, 출산 후 4-6주까지 증가.

5) 약제: 이상치의 해석 표 참조.

6. 참고 사항

1) 갑상선호르몬의 75-80%는 티록신결합글로불린에 결합하여 존재하며, 티록신결합글로불린에 결합한 갑상선호르몬은 세포 내에 유입되지 못하여 호르몬 작용이 없다. 티록신결합글로불린에 이상이 있는 경우에도 유리형갑상선호르몬 농도가 정상으로 유지되므로 갑상선 기능에 이상을 일으키지 않는다. 총 티록신은 티록신결합글로불린 농도를 일정하게 반영하므로 총 티록신을 측정하여 갑상선 기능을 판정하기 위해서는 티록신결합글로불린 농도를 염두에 두어야한다. 티록신과 티록신결합글로불린 양자를 측정하면 유리 갑상선호르몬 농도(FT4 index)를 계산할 수 있다.

2) 유전성 티록신결합글로불린 증가증, 유전성 티록신결합글로불린 감소증 등은 X 염색체 우성으로 유전하며, 최근 크레틴병(cretinism)의 집단 검진과 티록신 이상치의 정밀검사에서 발견되는 경우가 많다. 그러나 혈중 유리갑상선호르몬 농도는 정상이고 갑상선 기능은 정상이므로 치료는 필요 없다.

참고문헌

1) J. Larry jameson, et al. Harrison's Principles of Internal Medicine. 20th ed. New York: McGraw-Hill. 2018;2695.

2) Shlomo Mened MBchB MACP, et al. Williams Textbook of Endocrinology. 14th ed. Philadelpia: Elesvier Saunders. 2019;339-40.

3) 조보연. 임상갑상선학. 제4판. 서울: 고려의학. 2014;25-8.

갑상선자극호르몬결합억제면역글로불린
(Thyrotropin binding inhibitory immunoglobulin, TBII)

1. 검사 목적
1) 그레이브스병의 선별검사
2) 그레이브스병의 투약 중지시기 결정
3) 원발성 점액부종의 원인 진단
4) 신생아의 일과성 갑상선 기능이상증의 예측

2. 참고치
- 1.75 mIU/mL 이하(1.75 IU/L 이하)

3. 이상치의 해석

증가	저하
그레이브스병 정상갑상선기능 그레이브스병 원발성 점액부종 하시모토갑상선염의 일부 아급성 갑상선염의 회복기 일부	항 갑상선자극호르몬 항체의 존재

4. 검체의 채취와 취급
- 안정시 수시
- 채혈 혈청

5. 참고 사항
1) 환자의 IgG가 ^{125}I-β갑상선자극호르몬의 갑상선자극호르몬수용체 결합을 억제하는 능력을 측정하는 방사수용체 분석법(radioreceptor assay)이며, 자극항체와 억제항체가 모두 반영된다. 이후 사람의 TSH 수용체를 사용하는 제2세대 측정법이 개발되었고, 현재는 단클론항체를 이용한 제3세대 측정법이 상용화되어 그레이브스병의 진단 예민도를 향상시키고 있지만 자극항체와 억제항체를 구분하

지는 못한다.

2) 그레이브스병은 갑상선자극호르몬수용체에 대한 자가항체가 갑상선을 자극하여 갑상선호르몬의 과잉분비를 일으키는 질환이며, 치료하지 않은 그레이브스병의 90%에서 이 항체가 양성이고, 약물치료 후 지속적으로 양성인 경우 치료를 중지하면 재발하는 경우가 많다.

3) 갑상선자극호르몬수용체항체에는 갑상선자극호르몬과 동일하게 수용체에 결합하여 갑상선을 자극시켜 호르몬을 과잉 분비시키는 항체(갑상선자극항체, thyroid stimulating antibody, TSA)와 갑상선자극호르몬수용체에 결합하여 갑상선자극호르몬 작용을 억제하여 갑상선기능저하증을 일으키는 항체(갑상선자극차단항체, thyroid stimulation blocking antibody, TSBAb)의 2종이 있다. 후자는 원발성 점액부종의 원인이 된다.

4) 갑상선자극호르몬수용체항체는 태반을 통과하므로 갑상선자극항체 활성이 높은 임산부에서 출생한 신생아는 일시적인 갑상선기능항진증을 일으킬 수 있다. 갑상선자극차단항체를 가진 임산부의 신생아는 일시적인 갑상선기능저하증이 일어날 수 있다.

5) 혈청에 갑상선자극호르몬에 대한 항체가 존재하면 갑상선자극호르몬결합억제면역글로불린이 10% 이하로 저하되며, 그레이브스병에서 갑상선자극호르몬결합억제면역글로불린이 높지 않으면 이러한 항체의 존재를 고려한다.

6) 그레이브스병의 눈 증상은 있으나, 갑상선 기능이 정상인 경우를 정상갑상선기능 그레이브스병이라고 부르며, 이 경우에 갑상선자극호르몬결합억제면역글로불린은 양성이다. 정상갑상선기능 그레이브스병은 갑상선기능항진증으로 발전될 수 있으므로 주의하여 경과 관찰이 필요하다.

7) 아급성 갑상선염과 방사성 동위원소 치료 후 갑상선 파괴에 의해 일시적으로 갑상선자극호르몬결합억제면역글로불린이 양성일 수 있으나 수치는 높지 않다.

참고문헌 //

1) J. Larry jameson, et al. Harrison's Principles of Internal Medicine. 20th ed. New York: McGraw-Hill. 2018;2703.

2) Shlomo Mened MBchB MACP, et al. Williams Textbook of Endocrinology. 14th ed. Philadelpia: Elesvier Saunders. 2019;1171-2.

3) 조보연. 임상갑상선학. 제4판. 서울: 고려의학. 2014;142.

갑상선자극항체/면역글로불린
(Thyroid stimulating antibody/immunoglobulin, TSA/TSI)

1. 검사 목적
1) 그레이브스병의 선별검사
2) 그레이브스병의 투약 중지시기 결정
3) 신생아의 일과성 갑상선기능이상증의 예측
4) 갑상선 기능이 정상인 그레이브스성 안병증의 진단

2. 검사 원리
- 지금까지 시행되어 오던 갑상선자극면역글로불린 검사법은 쥐의 갑상선 세포에서 유래한 세포주인 FRTL-5 세포나 사람의 수용체를 발현시킨 CHO 세포를 갑상선자극호르몬이나 갑상선 자극호르몬수용체 항체가 자극할 때 생성되는 cAMP의 양을 방사면역검사법으로 측정하는 방법이었다. 이 검사 방법은 세포주를 직접 배양하여야 하고 검체로부터 IgG를 분리하는 등 검사 방법이 표준화되어 있지 않고 시간이 오래 걸리며 재현성과 민감도가 떨어지는 문제가 있었다. 최근에 새로 상품화된 키트는 CHO 세포주를 이용하여 cAMP 대신 발광물질인 luciferase를 측정하는 방법으로써 혈청을 그대로 사용하여 검사시간이 4-5시간 걸리고 재현성과 민감도가 개선되었다.

3. 참고치
- not detected: <130%, indeterminate: 130-150%, detected: >150%

4. 검채의 채취와 취급
- 혈장은 혈청 사용 시보다 낮은 값을 보이는 경우가 많으므로 혈청이 검체로서 좋다. 혈청 중 갑상선자극호르몬결합억제면역글로불린, 갑상선자극항체 모두 비교적 안정적이므로 냉장 보관하며 장기 보존 시에는 동결해두는 것이 좋다.

5. 참고 사항

- 갑상선자극호르몬수용체항체에는 자극형과 차단형의 2종류가 있다. 전자는 갑상선자극호르몬수용체에 대하여 촉진제로 작용하여 갑상선기능항진증을 야기하며 갑상선자극호르몬결합억제면역글로불린 및 갑상선자극항체가 양성이다. 후자는 갑상선자극호르몬수용체에 대하여 길항제로 작용하여 갑상선기능저하증을 일으킨다. 갑상선자극호르몬 결합저해작용은 있지만(TBII 양성) 갑상선자극항체 같은 작용은 없고 오히려 갑상선자극호르몬 자극에 의한 cAMP생산을 저해하는 작용을 가지므로 갑상선자극차단항체는 음성이다.

참고문헌 //

1) J. Larry jameson, et al. Harrison's Principles of Internal Medicine. 20th ed. New York: Mc-Graw-Hill. 2018;2703.
2) Shlomo Mened MBchB MACP, et al. Williams Textbook of Endocrinology. 14th ed. Philadelpia: Elesvier Saunders. 2019;1171-2.
3) 조보연. 임상갑상선학. 제4판. 서울: 고려의학. 2014;141.

항미크로솜항체와 항갑상선글로불린항체
(Antimicrosomal antibody and antithyroglobulin antibody)

1. 검사 목적

- 자가 면역성 갑상선 질환(하시모토갑상선염, 그레이브스병)의 진단 및 경과 판정

2. 참고치

- 항미크로솜항체: 35 IU/L 미만(35 KIU/L 미만)
- 항갑상선글로불린항체: 40 IU/mL 미만(40 KIU/mL 미만)

3. 이상치의 해석

- 자가면역성 갑상선질환(하시모토갑상선염, 그레이브스병, 원발성 점액부종, 무통갑상선염)에서 증가한다.

4. 검체의 채취와 취급
- 안정시 수시
- 채혈 혈청

5. 참고 사항

1) 항미크로솜항체는 갑상선 여포상피세포의 미크로솜 분획에 대한 항체이며, 보체와 결합하여 세포손상을 일으킬 수 있다. 최근 미크로솜 분획에 있는 갑상선 과산화효소가 항원으로 알려져 항갑상선과산화효소항체(antithyroperoxidase(anti-TPO) antibody)라고 부르고 있다. 항갑상선글로불린항체는 갑상선 여포내 콜로이드의 주성분인 갑상선글로불린에 대한 항체다.

2) 하시모토갑상선염은 미만성의 단단한 갑상선종이 있으며, 다른 갑상선종의 원인이 제외되고, 갑상선 조직 구성 성분에 대한 체액성 항체가 있을때 진단되며, 항미크로솜항체, 항갑상선글로불린항체가 각각 90%, 50% 정도 양성이다. 그레이브스병에서도 하시모토갑상선염과 같은 정도의 양성률을 보이며 항체의 분포 차이가 없다. 항갑상선항체는 자가면역성 갑상선 질환의 표지이지만, 항갑상선항체 측정만으로 하시모토갑상선염을 진단할 수 없으므로 주의를 요한다.

3) 항갑상선항체의 항체가와 갑상선 기능 사이에는 관련이 없다. 그러나 하시모토갑상선염에서 항갑상선글로불린항체의 항체가와 조직파괴 정도에는 어느 정도의 상관이 있으나, 갑상선종이 큰 예에서는 높은 수치가 지속된다. 그레이브스병에서 항갑상선글로불린항체의 항체가가 높은 증례에서는 수술 또는 방사성 동위원소 치료 후 갑상선기능저하증이 되기 쉽다.

4) 과거에는 감작 적혈구 또는 감작 젤라틴을 이용한 응집반응으로 검사하였으나, 최근에는 정제된 항원을 사용한 고감도 방사면역검사법 방법으로 검사한다.

참고문헌

1) J. Larry jameson, et al. Harrison's Principles of Internal Medicine. 20th ed. New York: McGraw-Hill. 2018;2701.
2) 조보연. 임상갑상선학. 제4판. 서울: 고려의학. 2014;139-40.

갑상선의 방사성요오드섭취율, ^{99}mTc 섭취율
(Radioactive iodine uptake, RAIU)

1. 검사 목적
1) 갑상선의 호르몬 합성능 판정
2) 갑상선기능항진증의 감별진단

2. 검사 방법
- 방사성 핵종(131 또는 123 Iodine(경구) 또는 ^{99}mTc (정주))을 투여 후
- 요오드는 24시간후, ^{99}mTc은 20분 후에 갑상선과 대퇴부에서 섭취율을 측정한다.
- 섭취율(%) = (목의 분당계수 -대퇴부의 분당계수)/ 표준 분당계수

3. 판정 기준
- 요오드 섭취율: 5-40%
- ^{99}mTc 섭취율: 1.7-4%

4. 이상치의 해석

증가	저하
그레이브스병 자율기능성 갑상선 결절 갑상선자극호르몬 생산종양 갑상선호르몬 불응증(뇌하수체형) 인융모성선자극호르몬 생산종양 선천성 갑상선호르몬 합성장애 아급갑상선염(회복기) 무통갑상선염(회복기)	아급갑상선염(활동기) 무통갑상선염(활동기) 갑상선호르몬 복용 이소성 갑상선종 하시모토갑상선염의 일부 갑상선기능저하증

5. 측정치에 영향을 주는 요인
1) 식사: 요오드 함유 식품.
2) 약제: 메티마졸, 프로필티오우라실, 알코올, 루골 용액, 요오드화 칼륨, 아미오다론, 요오드조영제

6. 참고 사항

1) 갑상선은 혈중의 요오드를 능동적으로 흡수하고, 유기화하여 갑상선호르몬을 합성한다. 갑상선의 호르몬 합성기전에 이상이 있으며 섭취율에 이상이 생긴다.

2) 혈중 갑상선호르몬 과잉은 갑상선중독증으로 진단하며, 갑상선중독증은 그레이브스병의 동의어가 아니다. 갑상선에 축적된 호르몬이 다량으로 유출되는 파괴성 갑상선염(아급갑 상선염 및 무통갑상선염 등)에서도 혈중 갑상선호르몬이 과잉 상태가 된다. 그레이브스병과 파괴성 갑상선염의 감별에 갑상선자극호르몬수용체항체의 측정이 이용되나, 현재 사용되는 갑상선자극 호르몬 수용체 항체 측정키트는 치료 안 한 그레이브스병의 약 10%에서는 음성이다. 한편 아급갑상선염과 무통갑상선염의 회복기에도 일시적으로 갑상선자극호르몬수용체항체가 양성이므로 그레이브스병과 파괴성 갑상선염을 완전히 감별하기 위해서는 방사성 요오드섭취율 측정이 필요하다.

3) 검사 전 갑상선에 요오드가 포화되어 있으면 방사성 요오드의 섭취가 안되기 때문에 검사 전에 해조류 및 요오드가 포함된 약제의 복용을 금지시킨다.

참고문헌 ///

1) J. Larry jameson, et al. Harrison's Principles of Internal Medicine. 20th ed. New York: Mc-Graw-Hill. 2018;2705.

2) Shlomo Mened MBchB MACP, et al. Williams Textbook of Endocrinology. 14th ed. Philadelpia: Elesvier Saunders. 2019;1115-7.

3) 조보연. 임상갑상선학. 제4판. 서울: 고려의학. 2014;171-5.

삼요오드티로닌 억제시험(T3 supression test)

1. 검사 목적

1) 그레이브스병의 치료중지 시기 결정

2) 갑상선호르몬 생산종양의 진단

2. 검사 방법

* 갑상선호르몬을 과잉 투여하여 뇌하수체의 갑상선자극호르몬 분비를 완전 억제 시킨 상태에서 방사성요오드섭취율을 측정하며, 갑상선자극호르몬의 지배가 없 는 상태에서 갑상선의 기능을 검사한다. 실제로 삼요오드티로닌 75 µg/일을 8일 간 투여하며, 투여 전 후에 방사성 요오드 섭취율을 측정한다. 투여 전 후에 혈청 유리 티록신치를 측정하는 방법도 있다.

3. 정상 판정 기준

* 섭취율: 15% 이하 또는 기저치의 1/2 이하로 억제(유리 티록신을 측정하면 역시 1/2로 저하된다).

4. 이상치의 해석

* 섭취율의 억제가 불충분: 그레이브스병, 정상갑상선기능 그레이브스병, 플루머 병.

5. 참고 사항

1) 고감도 갑상선자극호르몬 측정과 갑상선자극호르몬수용체항체 검사가 보편화 되어 현재 많이 이용되지 않고 있다.
2) 부작용과 금기: 삼요오드티로닌 75 µg/일을 8일간 투여하여 인위적으로 갑상선 기능항진증을 일으키므로 심계항진, 권태감을 호소하며 고령자, 관상동맥경화증 환자에서는 실시하지 않는다.

참고문헌 //

1) Shlomo Mened MBchB MACP, et al. Williams Textbook of Endocrinology. 14th ed. Phil-adelpia: Elesvier Saunders. 2019;881.
2) 조보연. 임상갑상선학. 제4판. 서울: 고려의학. 2014;173.

칼시토닌(calcitonin)

1. 검사 목적
1) 갑상선 수질암의 진단
2) 갑상선 수질암 환자 가족의 선별검사
3) 갑상선 수질암의 경과 관찰

2. 참고치
1) 남 0-7.5 pg/mL (0-7.5 ng/L)
2) 여 0-5.1 pg/mL (0-5.1 ng/L)

3. 이상치의 해석

증가	저하
갑상선 수질암 이소성 칼시토닌 생산종양 　폐 소세포암, 췌장 소도 종양 　칼시노이드 증후군 　갈색세포종 악성종양의 일부 　간암, 유암, 백혈병 만성 신부전증 잘링어-엘리슨 증후군(Zollinger-Ellison syndrome) 임신, 수유기	갑상선 전적출술

4. 검체의 채취와 취급
- 아침 공복에 채혈
- 혈청

5. 측정치에 영향을 주는 요인
1) 식사: 식후에 증가한다.
2) 연령, 성별: 나이가 들수록 저하하는 경향이 있다. 남성에서 높다.

3) 용혈이 되면 증가한다.

6. 참고 사항

1) 칼시토닌은 갑상선 C세포에서 분비하는 호르몬으로 칼슘의 조절에 관여하는 것으로 알려져 있다. 갑상선 C세포에서 기원한 갑상선수질암에서 현저히 증가되어 수질암의 종양 표지자로 진단 및 경과 관찰에 매우 유용하다.

2) 갑상선수질암의 가족에서 증가하여 갑상선수질암의 조기발견에 이용되며, 환자의 가족 전원은 정기적인 검사가 필요하다. 기저치는 정상이어도 칼슘 또는 펜타가스트린의 자극으로 100 pg/mL 이상으로 증가하면 잠재성의 갑상선수질암을 발견할 수 있다.

3) 가족성 갑상선 수질암 검사의 선별검사
   ① 칼슘 부하검사: 칼슘 글루코네이트 용액을(체중 당 15 mg의 칼슘) 생리식염수에 용해하여 4시간 동안 정맥주사하며, 투여 전과 투여 후 15, 30, 60분에 칼시토닌을 측정한다.
   ② 펜타가스트린 자극검사: 펜타가스트린 체중당 0.5 μg/kg를 5초 이내에 정맥주사한 후 1, 2, 3, 5, 10분에 혈청 칼시토닌을 측정한다.

4) 일반적으로 칼시토닌의 방사면역 측정법으로 측정되는 칼시토닌은 32개의 아미노산으로 된 생리활성 물질이나 그 이외에 전구체 및 분해 산물 일부가 측정된다.

5) 현재 사용되고 있는 검사 키트로 정상인에서 측정 감도 이하인 경우가 있어 혈중에 저하된 경우의 생리적 의의는 불명이다.

참고문헌 ///

1) J. Larry jameson, et al. Harrison's Principles of Internal Medicine. 20th ed. New York: McGraw-Hill. 2018;2717.

2) Shlomo Mened MBchB MACP, et al. Williams Textbook of Endocrinology. 14th ed. Philadelpia: Elesvier Saunders. 2019;3889.

3) 조보연. 임상갑상선학. 제4판. 서울: 고려의학. 2014;424.

RET 돌연변이 검사(RET mutation analysis)

1. 검사 목적

- 다발내분비종양(multiple endocrine neoplasia, MEN) 2A, 2B 및 가족성 갑상선수
  질암(familial medullary thyroid cancer, FMTC) 등의 내분비종양 유발 유전자 중
  하나인 RET 유전자의 돌연 변이를 확인

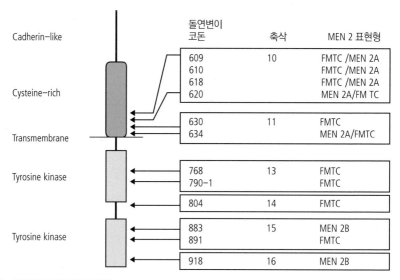

Cadherin–like	돌연변이 코돈	축삭	MEN 2 표현형
	609	10	FMTC /MEN 2A
	610		FMTC /MEN 2A
	618		FMTC /MEN 2A
Cysteine–rich	620		MEN 2A/FM TC
	630	11	FMTC
Transmembrane	634		MEN 2A/FMTC
	768	13	FMTC
Tyrosine kinase	790–1		FMTC
	804	14	FMTC
	883	15	MEN 2B
Tyrosine kinase	891		FMTC
	918	16	MEN 2B

2. 검체의 채취와 취급

1) 전혈, 채취 후 1일 이상 경과된 검체는 부적합하다.
2) 유전자 검사 동의서가 필요하다.

3. 참고 사항

1) 가족성 갑상선수질암과 다발내분비종양 2A 환자의 가족에서 조사한 바에 의하
   면 배선돌연변이는 RET 단백의 세포외영역 중 세포막에 인접한 4개의 시스테인
   과 세포막영역 내 1개의 시스테인에 국한된다. 축삭 10번의 609, 611, 618, 620
   번 코돈과 축삭 11번의 634번 코돈 중 하나의 점돌연변이가 다발내분비종양 2A
   환자의 98%, 가족성 갑상선수질암 환자의 85%에서 관찰된다.
2) 다발내분비종양 2B 환자의 95%에서 축삭 16번의 918번의 코돈 배선돌연변이

가 보고되고 있다. 최근에는 다발내분비종양 2B 가족에서 833번 코돈의 돌연변이도 보고되었다.

3) 현재 RET 배선돌연변이가 있는 경우 갑상선전절제술을 받아야 한다는 데에는 일반적인 동의가 이루어져 있다. 다만 특정 코돈의 배선돌연변이와 임상양상과의 관계가 밝혀지면서 돌연변이의 종류에 따라서 어느 시기에 조기 갑상선절제술을 시행하여야 하는가에 대해서 가이드라인에 명시되고 있다.

4) 위험율 예측

① 최상위 위험군: 다발내분비종양 2B와 883, 918, 922번 코돈의 배선돌연변이 가능하면 생후 6개월 이내에 갑상선절제술을 시행하고 필요시 레벨 2에서 5까지의 림프절 제거.

② 고 위험군: 609, 611, 618, 620, 634번 코돈
5세 이전에 갑상선전절제술.

③ 중간 위험군: 768, 790, 791, 804, 891번 코돈
5-10세에 갑상선전절제술 또는 주기적인 자극 후 칼시토닌 측정검사.

참고문헌 ///

1) J. Larry jameson, et al. Harrison's Principles of Internal Medicine. 20th ed. New York: Mc-Graw-Hill. 2018;2752.

2) Shlomo Mened MBchB MACP, et al. Williams Textbook of Endocrinology. 14th ed. Philadelpia: Elesvier Saunders. 2019;5325.

3) 조보연. 임상갑상선학. 제4판. 서울: 고려의학. 2014;558.

BRAF^V600E 유전자 돌연변이 검사

1. 검사 목적
갑상선 유두암의 감별 진단

2. 검사 방법
1) 갑상선결절에서 채취한 세포 혹은 조직을 이용하여 DNA를 추출하여 아래의 방

법 중 한 가지로 양성 유무를 확인한다.

2) 염기서열 검사법(sequencing)
3) 중합효소연쇄반응법(PCR)
4) 실시간 염기서열 검사법(pyrosequencing)
5) 실시간 중합효소연쇄반응법(real-time PCR)

3. 판정 기준

돌연변이 양성 여부를 확인

4. 참고 사항

BRAFV600E 돌연변이는 갑상선유두암에서 가장 흔한 유전적 변화로 현재까지 보고된 결과를 종합하면 성인 갑상선유두암의 27-81%에서 나타난다. 조직형에 따라 돌연변이의 정도가 차이가 있는데, 전형적 조직형에서는 60%가 양성이나 여포변종은 12%만 양성이며 반면 키큰세포변종에서는 77%로 높은 양성율을 보인다. 특히 한국인에서는 타지역에 비해 상대적으로 높은 돌연변이 양성율을 보이고 있다. BRAFV600E 돌연변이와 갑상선유두암의 공격적 성향에 대해서는 아직 논란의 여지가 있다. BRAFV600E 돌연변이는 갑상선유두암에서만 나타나며, 여포암이나 수질암에서는 발견되지 않는다. 기존의 유두암에서 발전한 역형성암에서는 BRAFV600E 돌연변이의 빈도가 높다.

참고 문헌 //

1) 조보연. 임상갑상선학. 제4판. 서울: 고려의학. 2014;470-1.

갑상선미세침흡인세포검사
(Fine needle aspiration cytology of thyroid)

1. 검사 목적

• 갑상선결절의 감별진단

2. 검사 방법

- 환자의 어깨 밑에 베개를 받치고 눕혀 머리가 뒤로 젖혀지고 목이 잘 나오게 한 후, 결절 부위를 알코올 솜으로 여러 번 소독한다. 결절 부위를 왼손의 검지와 장지로 고정하여 위치를 확인한 후 주사침을 귀 방향으로 결절에 밀어 넣는다. 한 번 힘껏 흡인한 후 수 초간 기다렸다가 흡인을 중단하고 주사기를 뽑는다. 주사기의 내용물을 슬라이드 글라스에 뿜어낸 후 다른 슬라이드를 이용하여 말초혈액 도말처럼 밀어 고르게 도말한다. 도말된 슬라이드는 즉시 95% 알코올 용액에 넣는다. 슬라이드는 김자염색 또는 다른 염색을 실시하여 검경한다. 결절이 촉진되지 않으나 초음파 소견에서 미세침흡인세포검사가 필요한 경우 초음파 유도하에 검사를 시행할 수 있다.

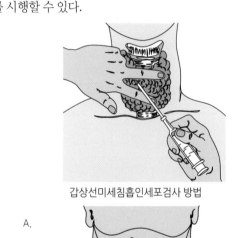

갑상선미세침흡인세포검사 방법

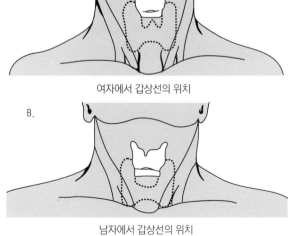

A.

여자에서 갑상선의 위치

B.

남자에서 갑상선의 위치

3. 판정 기준

1) 한 슬라이드 당 10-15개의 여포로 구성된 세포 집단이 5-6개는 보여야 악성과 양성의 판정이 가능하다.
2) 실제 임상에서 검체의 10-25%는 부적절한 검체로 판명된다.
3) 적절한 검체의 판독은 Bethesda system의 분류에 따른다(표 1).

표 1. The 2017 Bethesda system for reporting thyroid cytopathology

Diagnostic category	Risk of malignancy (%) (NIFTP를 악성에 포함시키지 않는 경우)	Risk of malignancy (%) (NIFTP를 악성에 포함시키는 경우)	Usual management
Nondiagnostic or unstatisfactory	5–10	5–10	Repeat FNA with ultrasound guidance
Benign	0–3	0–3	Clinical and sonographic follow up
Atypia of undetermined significance or follicular lesion of undetermined significance	6–18	~10–30	Repeat FNA, molecular testing, or lobectomy
Follicular neoplasm or suspicious for a follicular neoplasm	10–40	25–40	Molecular testing, lobectomy
Suspicious for malignancy	45–60	50–75	Near–total thyroidectomy or lobectomy
Malignant	94–96	97–99	Near–total thyroidectomy or lobectomy

NIFTP noninvasive follicular thyroid neoplasm with papillary-like nuclear features

4. 참고 사항

1) 흡인 검사를 시행하기 전에 갑상선결절이 악성을 시사하는 병력, 가족력, 과거력이 있는지 충분히 조사하며, 결절에 대한 자세한 진찰과 주위 림프절 비대와 같은 소견을 찾아 보아야 한다.
2) 흡인할 때 한 곳에서 여러 번 흡인을 반복하면 말초 혈액이 흡인되어 갑상선세포가 희석되어 도말표본의 판독이 어려워지므로 세포가 흡인되지 않을 경우에 결절내 다른 부위에서 다시 시행하는 것이 좋다.
3) 낭종액이 나올 때는 흡인된 양과 육안소견을 기록해 두고, 낭종액을 완전히 흡인한 후에도 종괴가 촉지되면 여기서 다시 흡인하여 도말표본을 만든다. 갑상선암의 일부에서도 낭종 형태를 보일 수 있으므로 낭종액만 검사하면 악성세포를 발견하지 못할 수 있다.

4) 물처럼 투명한 액체가 흡인되면 부갑상선 낭종일 가능성이 높으며, 이 경우에는 흡인액에서 부갑상선호르몬을 측정한다.

참고문헌 ///

1) J. Larry jameson, et al. Harrison's Principles of Internal Medicine. 20th ed. New York: Mc-Graw-Hill. 2018;2712.

2) Shlomo Mened MBchB MACP, et al. Williams Textbook of Endocrinology. 14th ed. Philadelpia: Elesvier Saunders. 2019;1394-8.

3) 조보연. 임상갑상선학. 제4판. 서울: 고려의학. 2014;202.

중심부바늘 생검 검사(Core needle biopsy)

1. 검사 목적
갑상선결절의 감별 진단

2. 검사 방법
환자는 목을 뒤로 젖힌 자세로 반듯하게 눕는다. 생검 전 초음파를 이용하여 결절의 크기, 위치, 특성 및 혈관 분포를 평가하여 적절한 접근 경로를 결정하고 조직검사 기구를 선택한다. 국소마취는 접근 경로를 따라서 1% 리도카인으로 마취한 후 바늘을 삽입한다. 부작용을 최소화하려면 검사하는 동안 초음파를 이용하여 바늘의 전장이 보이는 상태에서 검사하여야 한다. 검사 후에는 즉시 검사 부위를 중심으로 20-30분 정도 가볍게 목을 압박하여 출혈 및 부종을 방지한다.

3. 판정 기준
세침흡인검사와 마찬가지로 Bethesda system 에 따라 판정한다.

4. 참고 사항
1) 중심부바늘 생검의 장점
　① 정확히 조준되고 충분히 조직을 얻는 경우 이론 적으로 비진단결과를 보이지

않으며 다양한 면역조직화학검사가 가능하여 보다 정확한 진단을 할 수 있다

② 결절과 주변 정상조직을 포함한 결절의 피막을 동시에 얻을 수 있어 피막을 가진 종양의 진단에 도움을 줄 수 있다. 즉 여포성 종양 의 감별에 도움이 될 수 있다.

2) 중심부바늘 생검의 단점

① 병리학적 진단 기준이 정립되어 있지 않아 병원 간의 편차가 있을 수 있다

② 영상의학의사의 숙련도가 세침흡인검사에 비해 더 필요하다

③ 결절의 위치에 따라 생검이 불가능할 수 있다

3) 가이드라인에서 제시한 중심부바늘 생검의 적응증

① 세침흡인생검으로 정확한 세포학적 진단이 어려울 수 있는 림프종 혹은 역형성갑상선암이 의심되는 경우

② 세침흡인검사에서 반복적으로 비진단결과 혹은 불확정결과가 나오는 경우

참고 문헌 //

1) 백정환. 세침흡인생검에서 비진단결과를 보인 갑상선결절에서 중심부바늘생검의 역할. Int J Thyroidol 2016;9:9-14.

CHAPTER **4**

부신피질

01

당질코르티코이드 검사

혈청 코르티솔(Cortisol)

1. 검사 목적
- 부신피질기능의 기본적 평가

2. 참고치
1) 공복, 오전 8시 - 정오: 5-25 µg/dL (138-690 nmol/L)
2) 정오 - 오후 8시: 5-15 µg/dL (138-414 nmol/L)
3) 오후 8시 - 오전 8시: 0-10 µg/dL (0-276 nmol/L)

3. 검체의 채취와 취급
- 혈청(또는 혈장) 분리 후 냉장(2-8℃, 2일 이내 분석) 혹은 동결보존(-20℃ 이하)

4. 측정치에 영향을 주는 요인
1) 일중 변동: 아침에 가장 높고 저녁에 가장 낮음, 쿠싱증후군이나 스트레스 시 소실.
2) 임신: 코르티솔 결합단백의 증가에 의해 약간 높은 치를 보인다.
3) 약제: 프레드니솔론 등 코르티솔과 구조가 유사한 합성 스테로이드 투여 중 방사면역검사법으로 코르티솔 측정 시 교차반응에 의해 실제보다 높게 측정된다.

5. 참고 사항

1) 혈중 코르티솔은 일중 변동이 있으며, 스트레스 등 외부영향을 강하게 받으므로, 1회 채혈 결과(random cortisol test)로 부신피질 상태를 판정하기 어렵다. 그러나, 스트레스가 없는 상황에서 측정한 아침 기저 코르티솔(basal cortisol) 값이 매우 낮은 경우 시상하부-뇌하수체-부신축의 이상을 의심할 수 있다.

2) 코르티솔의 반감기는 대략 70-120분이며, 안정상태의 건강한 성인에서 1일 약 10-20 mg (27.8-55.6 μmol) 분비된다. 혈장의 코르티솔은 90% 이상 혈장 단백질과 결합되어 있으며, 80%는 코르티솔 결합글로불린(cortisol binding globulin, CBG)과 결합되어 있고 10% 정도는 알부민과 결합되어 있다.

3) 스트레스가 없는 상황에서 기저 코르티솔이 14.5 μg/dL (400 nmol/L) 이상이면 시상하부-뇌하수체-부신축은 대개 정상이라고 판단한다.

4) 자정 코르티솔(midnight cortisol): 쿠싱증후군이 의심될 때 자정 코르티솔이 4.7 μg/dL (130 nmol/L) 이상인 경우 쿠싱증후군을 예측하는 정도가 저용량 덱사메타손 억제검사와 비슷하다.

5) 스트레스(손상, 수술, 패혈증, 쇼크 등) 상태에서 코르티솔치가 4-6배 증가하고 일중 변동도 소실된다. 평상시에는 부신기능부전의 상태가 아니더라도 심각한 질환을 가진 경우 코르티솔 분비가 충분히 증가하지 않는 중증질환 연관 부신기능부전(critical illness-related corticosteroid insufficiency, CIRCI)의 상태가 있을 수 있는데, CIRCI는 무작위 혈중 코르티솔 수치가 <10 μg/dL 혹은 부신피질자극호르몬 자극검사에서 코르티솔이 기저치보다 9 μg/dL이상 상승하지 않는다면 의심할 수 있다.

6) 스테로이드 제제를 투여 중 아침 약제 투여 전 혈중 코르티솔이 5 μg/dL 이하이면 뇌하수체-부신 축의 억제 상태가 지속됨을 의미하므로 스테로이드 제제의 용량을 감량할 때 부신호르몬 결핍 증상을 주의깊게 관찰해야 한다.

7) 만성 신부전증에서는 코르티솔 대사율이 저하되어 혈중 코르티솔은 높고 소변 유리 코르티솔은 저하된다.

참고문헌 //

1) J. Larry jameson, et al. Harrison's Principles of Internal Medicine. 19th ed. New York: McGraw-Hill. 2015;2758.

2) Shlomo Mened MBchB MACP, et al. Williams Textbook of Endocrinology. 14th ed. Phil-

adelpia: Elesvier Saunders. 2019;523.

3) J. Larry jameson, et al. Harrison's Principles of Internal Medicine. 20th ed. New York: Mc-Graw-Hill. 2018;2726.

4) Djillali Annane, Stephen M Pastores, Bram Rochwerg, et al. Guidelines for the Diagnosis and Management of Critical Illness-Related Corticosteroid Insufficiency (CIRCI) in Critically Ill Patients (Part I): Society of Critical Care Medicine (SCCM) and European Society of Intensive Care Medicine (ESICM) 2017. Crit care Med 2017;45:2078-88.

5) Kazlauskaite R, Evans AT, Villabona CV, et al. Corticotropin Tests for Hypothalamic-Pituitary-Adrenal Insufficiency: A Metaanalysis. J Clin Endocrinol Metab 2008;4245-53.

6) J. Larry jameson, et al. Harrison's Principles of Internal Medicine. 16th ed. New York: Mc-Graw-Hill. 2004;2148.

소변 유리 코르티솔(Urine free cortisol, UFC)

1. 검사 목적
1) 당질코르티코이드 분비량 측정
2) 쿠싱증후군의 선별검사

2. 참고치
- 20-70 µg/24h (55-193 nmol/24h)

3. 검체의 채취와 취급
- 24시간 소변을 정확히 수집하여 냉암소에 보관함.

4. 측정치에 영향을 주는 요인
- 17-히드록시코르티코스테로이드는 코르티솔의 대사물을 소변으로 측정하는 것으로, 사용하는 약제들에 의한 CBG 변화의 영향을 받지만, UFC는 사용하는 약제에 의한 영향을 받지 않음. 측정법에 따라 참고치가 다르며, 면역검사법으로 측정 시 크로마토그래피법(liquid chromatography)이나 질량분석법(tandem mass spectrometry)보다 정상치가 높게 나옴.

5. 참고 사항

1) 혈중 코르티솔은 일중 변동이 있고, 약 90%가 코르티솔 결합단백(CBG, 알부민)과 결합되어 있으나, 소변중의 유리 코르티솔은 혈중 유리 코르티솔 농도를 반영함. 신장 기능이 저하된 경우(크레아티닌 청소율 <60 mL/분) 유리 코르티솔의 배설이 감소하므로, UFC 검사의 민감도가 감소하는 단점이 있음.

2) 코르티솔 분비는 변동성이 있으므로 2-3회 검사를 반복하고, 소변수집의 정확성을 평가하기 위해 소변 크레아티닌 배설량을 함께 측정(크레아티닌 배설량의 일간변동이 10% 이내이어야 함). 소변 크레아티닌의 총량이 1.0-1.6 g/24hr(남자; 20-25 mg/kg, 여자; 15-20 mg/kg)임을 확인.

3) 일반적으로 방사면역검사법으로 측정. 그러나 면역검사법은 스테로이드 대사물이나 합성스테로이드와 교차반응 우려가 있어, 이런 경우 크로마토그래피법(liquid chromatography)으로 측정함. 카바마제핀이나 페노피브레이트(fenofibrate)를 투여하는 경우 크로마토그래피법에서 코르티솔과 함께 측정되어 실제보다 수치가 상승할 수 있음.

4) 임상적으로 쿠싱증후군이 의심되며, UFC가 >70 μg/24h인 경우 쿠싱증후군의 가능성이 있으므로 확진 검사를 추가로 시행해야 함. 쿠싱증후군의 8-15%에서 정상 수치를 보일 수 있음.

5) 소변 유리 코르티솔 측정 한계가 정상의 하한 내에 있어 부신기능부전 진단에는 가치가 없음.

참고문헌

1) J. Larry jameson, et al. Harrison's Principles of Internal Medicine. 19th ed. New York: McGraw-Hill. 2015;2768.

2) Shlomo Mened MBchB MACP, et al. Williams Textbook of Endocrinology. 14th ed. Philadelpia: Elesvier Saunders. 2019;507.

3) J. Larry jameson, et al. Harrison's Principles of Internal Medicine. 19th ed. New York: McGraw-Hill. 2015;2768.

4) DeGroot. Endocrinology. 5th ed. Philadelpia: ElsevierScienceHealthScience. 2015; 437-8.

5) J. Larry jameson, et al. Harrison's Principles of Internal Medicine. 20th ed. New York: McGraw-Hill. 2018;2726.

6) DeGroot. Endocrinology. 5th ed. Philadelpia: ElsevierScienceHealthScience. 2015;2347.

소변 17-케토스테로이드(17-KS)

1. 검사 목적

- 소변 17-KS는 안드로겐(androstenedione, androsterone, estrone, and dehydroepi-androsterone) 대사산물로 안드로겐 합성의 지표로 측정

2. 검사 원리

- 17-keto 구조의 안드로겐과의 발색반응을 검출(Zimmerman 반응)

3. 참고치

- 3-12 mg/24h (10-42 μmol/24h)

4. 검체의 채취와 취급

- 붕산을 첨가한 소변 수집 용기에 24시간 소변 수집한다.

5. 측정치에 영향을 주는 요인

1) 증가되는 경우: 20-30세에 최고치
   - 스피로놀락톤, 페니실린 등 투여 시 증가한다.
2) 저하되는 경우: 프로제스테론, 카바마제핀(carbamazepine) 등 투여 시 저하한다.

6. 참고 사항

1) 소변 17-케토스테로이드는 안드로겐 합성의 지표로 성인 남자에서 2/3는 부신, 1/3은 고환에서 기원하는 안드로겐을 반영한다. 성인 여자에서는 대부분 부신에서 기원하는 안드로겐을 반영한다.
2) 소변 17-케토스테로이드는 안드로겐의 소변 대사물로 측정 시 많은 약제와 물질에 의해 영향을 받을 수 있다. 17-케토스테로이드는 안드로겐 생산량을 반영하므로 당질코르티코이드 분비량을 측정하는 데 사용하는 것은 적절하지 않다.
3) 부신암에서 소변 17-케토스테로이드와 혈중 디히드로에피안드로스테론황산염의 증가가 매우 현저하다.

4) 이상치를 보이는 경우에 혈중 디히드로에피안드로스테론(DHEA)이나 디히드
로에피안드로스테론 황산염(DHEAS)치를 측정하면 부신피질에서 기원한 안드
로스텐디온 분비 저하 유무를 확인할 수 있다. 남성에서는 테스토스테론을 측정
하며 필요에 따라 덱사메타손 억제시험을 시행한다.

참고문헌 //

1) J. Larry jameson, et al. Harrison's Principles of Internal Medicine. 19th ed. New York: Mc-Graw-Hill. 2015;2768.
2) DeGroot. Endocrinology. 5th ed. Philadelpia: ElsevierScienceHealthScience. 2015;437.
3) J. Larry jameson, et al. Harrison's Principles of Internal Medicine. 20th ed. New York: Mc-Graw-Hill. 2018;2732.

디히드로에피안드로스테론(DHEA), 디히드로에피안드로스테론 황산염(DHEA sulfate), 안드로스텐디온(androstenedione)

1. 검사 목적
1) 부신피질 기능의 기본적 평가
2) 쿠싱증후군의 보조진단

2. 검사 원리
• 혈청의 방사면역 측정법

3. 참고치
1) 디히드로에피안드로스테론(성인)
   • 남성: 180-1250 ng/dL (6.24-41.6 nmol/L)
   • 여성: 130-980 ng/dL (4.5-34.0 nmol/L)
2) 디히드로에피안드로스테론황산염(성인)
   • 남성: 10-619 μg/dL (100-6,190 μg/L)
   • 폐경 전 여성: 12-535 μg/dL (120-5,350 μg/L)

- 폐경 후 여성: 30-260 μg/dL (300-2,600 μg/L)

3) 안드로스텐디온(성인)

- 남성 23-89 ng/dL (0.81-3.1 μmol/L)
- 폐경 전 여성: 26-214 ng/dL (0.91-7.5 μmol/L)
- 폐경 후 여성: 13-82 ng/dL (0.46-2.9 μmol/L)

4. 검체의 채취와 취급

- 혈청, 혈장 모두 가능, 4℃에 보관하여 수일간 안정

5. 측정치에 영향을 주는 요인

1) 증가되는 경우: 출생 직후, 20세 전후, 디히드로에피안드로스테론은 아침에 높고 밤에 낮다.
2) 저하되는 경우: 60세 이후

6. 참고 사항

1) 디히드로에피안드로스테론, 디히드로에피안드로스테론황산염, 안드로스텐디온은 부신 안드로겐으로 디히드로에피안드로스테론과 안드로스텐디온은 부신피질자극호르몬 자극을 받아 코르티솔과 비슷한 일중 변동을 보인다. 그러나 디히드로에피안드로스테론황산염은 반감기가 길어 일중 변동을 보이지 않는다.
2) 부신암은 소변 17-케토스테로이드와 디히드로에피안드로스테론황산염의 증가가 매우 현저하다.
3) 성선자극호르몬 단순 결핍증에서 디히드로에피안드로스테론황산염은 정상범위이나, 사춘기 지연에서는 저하를 보이는 경우가 많다.

참고문헌

1) J. Larry jameson, et al. Harrison's Principles of Internal Medicine. 19th ed. New York: McGraw-Hill. 2015;2768.
2) Shlomo Mened MBchB MACP, et al. Williams Textbook of Endocrinology. 14th ed. Philadelpia: Elesvier Saunders. 2019;490.
3) J. Larry jameson, et al. Harrison's Principles of Internal Medicine. 20th ed. New York: McGraw-Hill. 2018;2732.

17α-히드록시프로게스테론(17-OH Progesterone)

1. 검사 목적
- 21-수산화효소(CYP21A2) 결핍에 의한 선천 부신과다형성의 선별 검사

2. 검사 원리
- 선천 부신과다형성의 약 90%는 21-수산화효소 결핍형이며 효소작용 전 단계 물질인 17α-히드록시프로게스테론의 생산이 현저하게 증가하므로 혈중 농도 측정으로 선별진단이 가능하다. 또한 코르티솔 보충요법 후 혈중 수치가 저하되어 치료효과의 평가에도 이용된다.

3. 검사 방법
1) 아침 공복 시 채혈하여 방사면역 측정법으로 분석.
2) 이른 아침(오전 7시30분-8시)에 채혈하여 검사하며, 혈장과 혈청에서 모두 가능하다.
3) 생리중인 여성의 경우 여포기(follicular phase)에 측정한다.

4. 참고치(성인)
- 남성: <139 ng/dL (<4.17 nmol/L)
- 여포기 여성: 15-70 ng/dL (0.45-2.1 nmol/L)
- 황체기 여성: 35-290 ng/dL (1.05-8.7 nmol/L)

5. 검사치에 영향을 주는 요인
- 17α-히드록시프로게스테론은 부신 이외에 난소와 고환에서 생산된다. 여성에서 황체기에는 여포기보다 높은 혈청치를 나타낸다. 임신 중에는 태반에서 프로게스테론의 분비 증가에 의해 혈중치가 상승된다. 일중 변동이 있어 아침에 높고 밤에 낮다.

6. 이상치를 나타내는 질환

1) 선천부신과다형성(congenital adrenal hyperplasia)의 21-수산화효소 결핍증과 11β-수산화효소 결핍증에서 혈중치가 증가한다.

2) 혈청치가 증가된 경우에 혈장 부신피질자극호르몬, 코르티솔, 요중 17-히드록시코르티코 스테로이드 측정이 필요하다. 부분적인 효소 결핍증에서는 급속 부신피질자극호르몬 자극검사를 시행하여 17α-히드록시프로게스테론의 과잉 증가 반응을 볼 수 있다.

7. 참고 사항

1) 21-수산화효소 결핍증 환자에서 부신피질호르몬제를 보충하여 17α-히드록시프로게스테론의 혈중 농도를 정상 상한에서 경미하게 상승한 상태로 유지되도록 한다.

2) 혈중 호르몬 농도 측정뿐 아니라 유전자 진단이 가능하며 산전진단도 시행되고 있다.

참고문헌 //

1) J. Larry jameson, et al. Harrison's Principles of Internal Medicine. 19th ed. New York: McGraw-Hill. 2015;2760.

2) J. Larry jameson, et al. Harrison's Principles of Internal Medicine. 20th ed. New York: McGraw-Hill. 2018;2738.

3) Shlomo Mened MBchB MACP, et al. Williams Textbook of Endocrinology. 14th ed. Philadelpia: Elesvier Saunders. 2019;532.

부신피질자극호르몬에 의한 급속 부신피질 자극검사

1. 검사 목적

1) 부신기능부전의 진단

2) 스테로이드 투여 중지 후 시상하부-뇌하수체-부신축의 회복 여부 판정

2. 검사 원리

- 부신피질자극호르몬 자극에 의한 부신의 코르티솔 분비 반응을 관찰한다.

3. 검사 방법

1) 고용량 급속 부신피질 자극검사(High dose rapid ACTH Stimulation test)
   - 기저 코르티솔을 위한 채혈
   - 합성 부신피질자극호르몬(tetracosactrin acetate, $\alpha^{1\text{-}24}$ corticotropin) 250 μg을 근육주사 혹은 5-10 mL의 생리식염수에 섞어 정주
   - 30분, 60분에 코르티솔을 위한 채혈

2) 저용량 급속 부신피질 자극검사(Low dose rapid ACTH Stimulation test) 기저 코르티솔을 위한 채혈
   - 합성 부신피질자극호르몬(Synacthen, tetracosactrin acetate $\alpha^{1\text{-}24}$ corticotropin) 1 μg을 정주(1 앰플 250 μg에서 1 μg을 추출하여 사용하여야 하므로 정확한 용량을 추출하는데 주의가 필요)
   - 추출방법: ① Synacthen 1 앰플(1 mL)을 49 mL의 생리식염수에 희석하고 그 중 0.2 mL를 취하여 4.8 mL의 생리식염수에 섞어 5 mL를 준비 ② Synacthen 1 앰플(1 mL)을 499 mL의 생리식염수에 섞어 그 중 2 mL를 취하여 준비
   - 30, 60분에 코르티솔을 위한 채혈(기관에 따라 20, 30, 40분 채혈을 시행하기도 한다)

3) 일차부신기능부전과 이차부신기능부전을 감별하기 위해 기저 부신피질자극호르몬 측정과 기저, 30분, 그리고 60분 알도스테론을 측정할 수 있다(최근에는 부신피질자극호르몬 측정만으로 충분히 감별이 가능하여 알도스테론은 측정하지 않는 추세이다).

검사명	부신피질자극호르몬에 의한 급속 부신피질 자극검사				
시간		Basal	0min	30*min	60*min
투여약제	Synacthen 250 or 1* μg		+		
검체	혈청코르티솔 알도스테론 부신피질자극호르몬	+ + +		+ +	+ +

* 1μg ACTH 자극검사 시 20분, 30분 채혈(40분 채혈을 추가할 수 있다.)

4. 판정 기준

1) 자극된 코르티솔 최고값이 18-20 μg/dL (500-550 nmol/L) 미만이면 기능부전으

로 판정한다. 그러나 참고치는 코르티솔 검사법에 따라 다를 수 있으며, 질량분석법 검사는 참고치가 16-18 μg/dL (450-500 nmol/L)로 다른 검사법보다 낮다.

2) 이차부신기능부전은 부신피질자극호르몬이 감소하며 자극된 알도스테론이 기저치보다 5 ng/dL (160 pmol/L) 이상 상승하나, 일차부신기능부전에서는 부신피질자극호르몬이 증가하며 알도스테론 증가는 없다.

5. 참고 사항

1) 급속 부신피질 자극검사는 부신기능부전을 진단하는 기본 검사로 임상적으로 부신기능부전이 의심될 경우 시행한다.

2) 일차 부신기능부전에서는 고용량 부신피질 자극검사를 시행한다.

3) 저용량 검사가 고용량 검사에 비해 민감도가 높다고 알려져 있으나 어떤 검사가 더 우수한지에 대해서는 아직 명확하게 밝혀져 있지 않다. 저용량 검사의 경우 대상자의 특성에 따라 부신피질자극호르몬 작용이 빨리 혹은 늦게 나타날 수 있으므로, 자극 후 20(혹은 15), 30, 40(혹은 60)분에 코르티솔을 측정하여 검사의 신뢰도를 높일 수 있다.

4) 임상적으로 스테로이드 호르몬 투여가 시급한 경우에는 덱사메타손을 투여하고, 자극검사를 시행한다.

5) 스트레스(손상, 수술, 패혈증, 쇼크 등) 상태에서 자극검사 결과가 기저치보다 9 μg/dL 이상 상승하지 않을 경우 당질코르티코이드 투여가 환자의 임상경과를 호전시킬 수 있다는 일부 연구가 있다.

6) 21-수산화효소 결핍에 의한 선천 부신과다형성은 부신피질자극호르몬 투여 후 17-히드록시프로게스테론을 측정하여 진단할 수 있다.

7) 급속 부신피질 자극검사는 쿠싱증후군의 진단이나 고코르티솔혈증의 원인감별에 도움이 되지 않는다.

참고문헌 //

1) J. Larry jameson, et al. Harrison's Principles of Internal Medicine. 20th ed. New York: Mc-Graw-Hill. 2018;2735.

2) Shlomo Mened MBchB MACP, et al. Williams Textbook of Endocrinology. 14th ed. Philadelpia: Elesvier Saunders. 2019;523-4

3) Ospina NS, Al Nofal A, Bancos I, et al. ACTH Stimulation Tests for the Diagnosis of Adre-

nal Insufficiency: Systematic Review and Meta-Analysis. J Clin Endocrinol Metab 2016;101:427-34.

4) 김용성. 부신피질기능저하증에서 저용량과 고용량 부신피질자극호르몬 자극검사. 대한내분비학회지 2004;19:19-23.

5) Djillali Annane, Stephen M Pastores, Bram Rochwerg, et al. Guidelines for the Diagnosis and Management of Critical Illness-Related Corticosteroid Insufficiency (CIRCI) in Critically Ill Patients (Part I): Society of Critical Care Medicine (SCCM) and European Society of Intensive Care Medicine (ESICM) 2017. Crit care Med 2017;45:2078-88.

부신피질자극호르몬에 의한 지속성 부신피질 자극검사

1. 검사 목적

• 급속 부신피질자극호르몬 검사에서 부신기능부전이 의심되는 경우에 일차와 이차(시상하부 및 뇌하수체) 부신기능부전 감별 위해 시행한다. 그러나 기저 부신피질자극호르몬 측정과 같은 검사로 일차 및 이차 부신기능부전 감별이 가능하기 때문에 최근에는 거의 이용되지 않는다.

2. 검사 원리

• 급속 부신피질자극호르몬 자극 검사와 원리는 같으며 지속적인 자극에 의해 이차 부신기능부전에서는 부신의 반응이 있으나 일차 부신부전에서는 반응이 없다.

3. 검사 방법

• 부신피질자극호르몬(Cortrosyn/Synacthen) 1 mg을 근육주사하거나 24-48시간 동안 정맥주입하면서 혈청 코르티솔을 반복 측정한다.

검사명	부신피질자극호르몬에 의한 지속성 부신피질 자극검사					
시간		Basal	0hr	4hr	24hr	48hr
투여약제	Synacthen 1 mg IM or Synacthen 1 mg infusion		+	--------------------		
검체	혈청코르티솔	+		+	+	+

4. 판정 기준

1) 정상반응: 4시간경에 혈청 코르티솔이 36 μg/dL (1,000 nmol/L) 이상 상승하고 이후에는 더 이상 상승 없다.

2) 이차부신부전: 혈청 코르티솔이 지연된 반응을 보여 4시간경보다 24-48시간 후에 더 상승하는 양상을 보이며 20 μg/dL (550 nmol/L) 이상 상승한다.

3) 일차부신부전: 거의 반응이 없다.

참고문헌 //

1) Shlomo Mened MBchB MACP, et al. Williams Textbook of Endocrinology. 13th ed. Philadelpia: Elesvier Saunders. 2015;530.

2) DeGroot. Endocrinology. 5th ed. Philadelpia: ElsevierScienceHealthScience. 2015; 2348.

21-수산화효소 결핍증을 진단하기 위한 부신피질자극호르몬 자극검사

1. 검사 목적

- 21-수산화효소 결핍증의 고전형, 비고전형, 이형접합(heterozygote)과 정상인을 감별한다.

2. 검사 원리

- 21-수산화효소의 결핍시 전 단계 물질인 17-히드록시프로게스테론(17-Hydroxy-progesterone) 기저치가 상승하고 부신피질자극호르몬 자극시 그 상승이 더욱 심해진다.

3. 검사 방법

- Synacthen 250 μg 정주 전, 정주 후 60분에 17-히드록시프로게스테론을 측정한다.

4. 판정 기준

1) 고전형 및 비고전형 21-수산화효소 결핍증: 자극 후 17-히드록시프로게스테론이 10,000 ng/dL (300 nmol/L) 이상 상승한다.

2) 이형접합: 자극 후 17-히드록시프로게스테론 상승이 경미해서 정상인과 구분이 안 될 수 있다. 이런 경우 유전자검사(genotyping)를 시행하여 이형접합을 감별한다.

5. 참고 사항

1) 21-수산화효소 결핍증의 전형적인 형태는 신생아기에 발생하며 알도스테론, 코르티솔이 감소하고 17-히드록시프로게스테론이 상승하며 남성화, 성장장애, 염분소실 등을 보인다. 비전형적 형태중 후기발병(late-onset) 21-수산화효소 결핍은 다낭난소증후군중 일부에서 동반되며 약간의 남성화, 일차 혹은 이차무월경, 불임, 자극 후 17-히드록시프로게스테론의 상승을 보이나 알도스테론, 코르티솔은 정상 수치를 보이고 정상 성장을 보인다.

2) 여포기의 여성에서 오전 8시 이전 측정 17-히드록시프로게스테론이 200 ng/dL (6 nmol/L) 미만이면 자극검사 없이도 후기발병 21-수산화효소 결핍증을 배제할 수 있다.

참고문헌 //

1) Shlomo Mened MBchB MACP, et al. Williams Textbook of Endocrinology. 14th ed. Philadelpia: Elesvier Saunders. 2019;527-32.

2) Speiser PW, Arlt W, Auchus RJ, et al. Congenital Adrenal Hyperplasia Due to Steroid 21-Hydroxylase Deficiency: An Endocrine Society Clinical Practice Guideline. J Clin Endocrinol Metab 2018;103:1-46.

3) J. Larry jameson, et al. Harrison's Principles of Internal Medicine. 20th ed. New York: McGraw-Hill. 2018;2738.

하룻밤 덱사메타손 억제검사

1. 검사 목적

- 쿠싱증후군의 선별 검사

2. 검사 원리

• 덱사메타손의 되먹이기 기전에 의해 부신피질자극호르몬 분비가 억제되어 코르티솔 생산과 분비가 정상적으로 감소하는지 관찰한다.

3. 검사 방법

• 밤 11시부터 자정 사이에 덱사메타손 1 mg을 경구 투여하고 숙면하게 한다. 다음날 아침 8-9시 사이에 채혈하여 혈청 코르티솔을 측정한다.

하룻밤 덱사메타손 억제검사			
시간		11PM–MN	8–9AM
투여약제	덱사메타손 1 mg	+	
검체	코르티솔		+

4. 판정 기준

• 정상인은 억제 후 혈청 코르티솔이 1.8 μg/dL 이하, 그 이상인 경우 쿠싱증후군을 의심한다.

5. 주의 사항

1) 비만 성인(BMI>30 kg/m^2)의 8%에서 1.8 μg/dL 이하로 억제되지 않는다(위양성).
2) 쿠싱증후군 환자의 일부는 정상범위 이하로 억제될 수 있다(위음성).
3) 페니토인이나 리팜핀과 같은 덱사메타손 대사를 증가시키는 약을 복용하는 경우 억제되지 않을 수 있다(위양성).
4) 경구 피임약을 복용하는 경우 CBG 증가로 검사결과가 위양성으로 나올 수 있다.

참고문헌 //

1) J. Larry jameson, et al. Harrison's Principles of Internal Medicine. 20th ed. New York: Mc-Graw-Hill. 2018;2726.
2) Shlomo Mened MBchB MACP, et al. Williams Textbook of Endocrinology. 14th ed. Philadelpia: Elesvier Saunders. 2019;507.

저용량 덱사메타손 억제검사

1. 검사 목적
- 쿠싱증후군의 확진
- 쿠싱증후군의 다른 선별검사결과에서 equivocal하거나 가성 쿠싱증후군의 가능성이 있는 경우 시행

2. 검사 원리
- 덱사메타손은 되먹이기 기전에 의해 부신피질자극호르몬 분비를 억제하여 혈청 코르티솔, 소변 유리 코르티솔, 17-히드록시코르티코스테로이드를 억제한다. 쿠싱증후군에서는 덱사메타손에 의한 코르티솔 분비 억제가 소실된다.

3. 검사 방법
1) 제1일과 제2일: 기저치로 24시간 소변 유리 코르티솔, 17-히드록시코르티코스테로이드, 크레아티닌 그리고 2일째 아침 8시 혈청 코르티솔을 측정한다.
2) 제2일부터 제4일: 6시간 간격으로, 2일간 덱사메타손 0.5 mg을 경구 투여(아침 8시, 오후 2시, 오후 8시, 오전 2시) 한다. 제3일 아침 8시부터 제4일 아침 8시까지 소변을 모아 유리 코르티솔, 17-히드록시코르티코스테로이드, 크레아티닌을 측정한다. 제4일 아침 8시 혈청 코르티솔을 측정한다.

검사명	저용량 덱사메타손 억제검사									
날짜		Day1	Day2				Day3			Day4
시간		8AM	8AM	2PM	8PM	2AM	8AM	2PM	8PM	2AM	8AM
투여약제	Dexa 0.5 mg		+	+	+	+	+	+	+	+	
검체	혈청코르티솔	+									+
	소변코르티솔	———					———————				
	소변17-히드록시 코르티코스테로이드	———					———————				
	소변크레아티닌	———					———————				

4. 판정 기준

1) 정상인은 덱사메타손 투여 후 24시간 소변 코르티솔이 10 μg/24h 미만, 17-히드록시코르티 코스테로이드가 2.5 mg/24h 미만이고 혈청 코르티솔이 1.8 μg/dL 미만이다.

2) 쿠싱증후군에서는 덱사메타손 투여 후 24시간 소변 코르티솔이 10 μg/24h 이상, 17-히드록시코르티코스테로이드가 2.5 mg/24h 이상이거나 혈청 코르티솔이 5 μg/dL 이상이다.

5. 참고 사항

1) 소변을 완벽하게 모으지 않으면 결과 판정이 어렵다. 따라서 소변 크레아티닌을 같이 측정 하는 것이 좋다('소변 유리 코르티솔 측정'참조).

2) 덱사메타손 억제검사를 하는 경우 혈청 코르티솔 측정 시 혈청 덱사메타손 농도를 측정하여 덱사메타손을 잘 복용하였는지, 체내에서 덱사메타손 대사가 정상적으로 이루어지고 있는지 확인하는 것을 권장하고 있다. 혈청 덱사메타손 권장 농도는 2.0-6.5 ng/mL (5-17 nmol/L)이다.

3) 소변 검사의 민감도와 특이도가 혈청 검사보다 낮아 소변검사는 최근 잘 시행하지 않는 추세이다.

4) 경구피임약을 복용하고 있거나, 덱사메타손 대사에 영향을 줄 수 있는 약제를 복용하는 경우 위양성으로 나올 수 있다.

참고문헌

1) Shlomo Mened MBchB MACP, et al. Williams Textbook of Endocrinology. 14th ed. Philadelpia: Elesvier Saunders. 2019;507.

2) J. Larry jameson, et al. Harrison's Principles of Internal Medicine. 20th ed. New York: McGraw-Hill. 2018;2726.

3) Nieman LK, Biller BM, Findling JW, et al. The diagnosis of Cushing's syndrome: an Endocrine Society Clinical Practice Guideline. J Clin Endocrinol Metab 2008;93:1526‒40.

4) Nieman LK. Recent Updates on the Diagnosis and Management of Cushing's Syndrome. Endocrinol Metab 2018;33:139‒46.

고용량 덱사메타손 억제검사

1. 검사 목적
- 쿠싱증후군의 병형 구별

2. 검사 원리
- 뇌하수체 종양에 의한 쿠싱병에서는 고용량 덱사메타손에 억제되나 부신종양과 이소 부신피질자극호르몬에 의한 쿠싱증후군에서는 억제되지 않는다.
1) 제1일과 제2일: 기저치로 24시간 소변 유리 코르티솔, 17-히드록시코르티코스테로이드, 크레아티닌 그리고 2일째 아침 8시 혈청 코르티솔을 측정한다.
2) 제2일부터 제4일: 6시간 간격으로, 2일간 덱사메타손 2 mg을 경구 투여(아침 8시, 오후2시, 오후 8시, 오전2시)한다. 제3일 아침 8시부터 제4일 아침 8시까지 소변을 모아 유리 코르티솔, 17-히드록시코르티코스테로이드, 크레아티닌을 측정한다. 제4일 아침 8시 혈청 코르티솔을 측정한다.

검사명		고용량 덱사메타손 억제검사								
날짜		Day1	Day2				Day3			Day4
시간		8AM	8AM	2PM	8PM	2AM	8AM	2PM	8PM	2AM	8AM
투여약제	Dexa 2 mg		+	+	+	+	+	+	+	+	
검체	혈청코르티솔		+								+
	소변코르티솔	――――				――――――――――				
	소변17-히드록시 코르티코스테로이드	――――				――――――――――				
	소변크레아티닌	――――				――――――――――				

2. 판정 기준
1) 뇌하수체 종양에 의한 쿠싱증후군(쿠싱병): 24시간 소변 유리 코르티솔이 기저치에 비해 90% 이상 억제, 소변 17-히드록시코르티코스테로이드가 50% 이상 억제, 혈청 코르티솔이 기저치에 비해 50% 이상 억제된다.

2) 부신 쿠싱증후군(선종, 암), 이소 부신피질자극호르몬 생산 종양: 억제되지 않는다.

3. 참고 사항

1) 소변을 완벽하게 모으지 않으면 결과 판정이 어렵다. 따라서 소변 크레아티닌을 같이 측정하는 것이 좋다('소변 유리 코르티솔 측정'참조).
2) 17-히드록시코르티코스테로이드보다는 유리 코르티솔이나 혈청 코르티솔을 사용하는 것이 바람직하다.
3) 24시간 소변 유리 코르티솔의 진단기준을 50% 억제로 할 경우 뇌하수체 종양에 의한 쿠싱증후군의 90%와 이소 부신피질자극호르몬 생산 종양의 10%가 양성을 보인다. 진단기준을 90% 억제로 올릴 경우 뇌하수체 종양에 의한 쿠싱증후군의 진단 특이도가 거의 100%에 이르나(부신종양이나 이소 부신피질자극호르몬 생산 종양은 거의 완전히 배제) 민감도는 69% 수준이다.

참고문헌

1) Shlomo Mened MBchB MACP, et al. Williams Textbook of Endocrinology. 14th ed. Philadelpia: Elesvier Saunders. 2019;508-9.
2) J. Larry jameson, et al. Harrison's Principles of Internal Medicine. 20th ed. New York: McGraw-Hill. 2018;2726.
3) Orth DN. Cushing's syndrome. N Engl J Med 1995;332;791-803.
4) DeGroot. Endocrinology. 5th ed. Philadelpia: ElsevierScienceHealthScience. 2015;441-2.

8 mg 하룻밤 고용량 덱사메타손 억제검사

1. 검사 목적
- 쿠싱증후군의 병형 구별

2. 검사 원리
- 뇌하수체 종양에 의한 쿠싱병에서는 고용량에 억제되나 부신종양과 이소 부신피질자극호르몬에 의한 쿠싱증후군에서는 고용량에 억제되지 않는다.

3. 검사 방법
- 기저 혈청 코르티솔을 측정한 다음 오후 11시에 덱사메타손 8 mg을 복용하게 하고 다음 날 아침 8시에 혈청 코르티솔을 측정한다.

검사명	8 mg 하룻밤 고용량 덱사메타손 억제검사		
시간		11PM	8AM
투여약제	덱사메타손 8 mg	+	
검체	코르티솔		+

4. 판정 기준
1) 뇌하수체 종양에 의한 쿠싱증후군: 기저 코르티솔에 비해 50% 이상 억제되거나 오전 8시 코르티솔이 5 μg/uL 미만으로 억제된다.
2) 부신 쿠싱증후군(선종, 암), 이소성 부신피질자극호르몬 생산 종양: 억제되지 않는다.

5. 참고 사항
- 2일간 실시하는 표준 검사에 비해 민감도와 특이도가 낮다.

참고문헌

1) DeGroot. Endocrinology. 5th ed. Philadelpia: ElsevierScienceHealthScience. 2015; 442.
2) Ahmet Bahadir Ergin, A. The Cleveland Clinic Manual of Dynamic Endocrine Testing. 2015;31-4.

02

염류코르티코이드 검사

혈장 레닌 활성도, 알도스테론, 알도스테론/레닌 비

1. 검사 목적

1) 혈장 레닌 활성도

① 알도스테론과잉증의 진단

② 저레닌성 저알도스테론증의 진단

③ 탈수증의 보조 진단

2) 알도스테론

① 알도스테론과잉증의 진단

② 저레닌성 저알도스테론증의 진단

③ 부신기능부전시 일차성과 이차성(뇌하수체성)의 감별

3) 알도스테론/레닌 비

① 일차알도스테론증의 선별검사

2. 검사 원리

1) 혈장 레닌 활성도

- 일정한 기간동안 레닌의 기질인 안지오텐시노겐에 혈장을 첨가하여 형성된
  안지오텐신 I 을 방사면역검사법으로 측정하는 방법이 혈장 레닌활성도이며

ng/mL/hr로 표시한다.

2) 알도스테론
- 혈장(혈청)에서 알도스테론을 방사면역측정법으로 측정한다.

3) 알도스테론/레닌 비
- 일차알도스테론증에서 알도스테론의 분비가 레닌 활성도에 무관하게 증가되므로 알도스테론/레닌 비가 상승한다.

3. 참고치 및 판정 기준

1) 혈장 레닌 활성도(성인에서 정상 나트륨 섭취 시)

① 안정시 누워서: 0.3-3.0 ng/mL/hr

② 4시간 동안 기립 시: 1.0-9.0 ng/mL/hr

2) 알도스테론

① 정상 나트륨 섭취 시 누워서: <16 ng/dL (<443 pmol/L)

② 정상 나트륨 섭취 시 서서: 4-31 ng/dL (<111-858 pmol/L)

3) 알도스테론/레닌 비

① 알도스테론(ng/dL) / 혈장레닌활성도(ng/mL/hr)>30 (750 per ng/mL/hr) 이면서, 알도스테론>15 ng/dL (450 pmol/L): 일차알도스테론증 의심

② 혈장레닌활성도<1.0 ng/mL/hr 이면서, 알도스테론>10 ng/dL: 일차알도스테론증 의심

4. 이상치의 해석

<table>
<tr><th colspan="4">알도스테론</th></tr>
<tr><th colspan="2"></th><th>증가</th><th>저하</th></tr>
<tr><td rowspan="2">레닌활성도</td><td>증가</td><td>속발성 고알도스테론증
신혈관성 고혈압
바터 증후군</td><td>부신기능저하증(애디슨병)
선택적 알도스테론 결핍증
21 수산화효소 결핍증(염류소실형)</td></tr>
<tr><td>저하</td><td>원발성 알도스테론증
특발성 알도스테론증</td><td>저레닌성 저알도스테론증
리들 증후군
11β, 17β수산화효소 결핍증
DOC 생산종양
본태성 고혈압 일부</td></tr>
</table>

5. 검체의 채취와 취급

1) 혈장 레닌 활성도
   - EDTA가 들어있는 전용 튜브에 채혈하여 얼음물에 채워 검사실로 보내며 즉시 혈장을 분리 후 동결 보관한다.

2) 알도스테론
   - 혈청, 혈장 모두 가능, 분리 후 동결 보존한다.

6. 측정치에 영향을 주는 요인

1) 혈장 레닌 활성도
   ① 증가되는 경우: 체위 변동, 일어서면 2-3배 증가, 저염식, 오전 중, 임신 1개월 된 유아에서 높은 치(3-9 ng/mL/hr)를 보이나 1세에 0.3-3 ng/mL/hr이 된다. 임신 시 에스트로겐의 작용으로 증가한다.
   ② 저하되는 경우: 염분 부하 시
   ③ 소아기에는 성인과 같고, 고령에서 저하되어 60세 이후에는 정상 성인의 약 1/2이 된다.

2) 알도스테론
   ① 증가되는 경우: 일어서면 누웠을 때 보다 약 3배 증가, 아침에 증가, 2세 미만의 유소아, 1일 2 g 이하의 저염식, 칼륨 과부하, 황체기, 임신 시, 약제(이뇨제, 메토클로프라마이드 등)
   ② 저하되는 경우: 야간, 고령자, 고염 식사, 약제(안지오텐신전환효소 억제제, 글리칠리친 제제 등)

7. 참고 사항

1) 혈장 레닌 활성도, 알도스테론
   ① 혈장 레닌 활성도 결과의 해석은 24시간 소변의 소디움 농도를 같이 측정하여 판정하는 것이 좋으며, 정상적으로는 소디움 배설과 혈장 레닌 활성도는 역관계에 있다.
   ② 당뇨병 환자에서는 신부전증의 동반과 관계없이 혈장 레닌 활성도가 낮을 수 있다.
   ③ 신혈관에서 혈장 레닌 활성도 측정은 신혈관성 고혈압의 진단과 수술예후 평

가에 이용된다.

④ 레닌-안지온텐신-알도스테론계의 이상 판단이 어려운 경우에 안지오텐신 I, II의 측정이 필요한 경우가 있다.

안지오텐신 I 참고치 200 pg/mL 이하

안지오텐신 II 참고치 30 pg/mL

아침, 안정 시에 EDTA 함유 튜브에 채혈하며 혈장 분리 후 동결 보존한다.

DOC (11-데옥시코르티코이드) 참고치 2-30 ng/dL.

2) 알도스테론/레닌 비

① 일차성알도스테론증 case detection을 위해 알도스테론/레닌 비를 활용할 때, 알도스테론과 혈장레닌활성도 수치를 각각 함께 고려하는 것이 중요하다.

② 레닌-안지오텐신-알도스테론 계에 영향을 미치는 약제를 중단하고 평가하는 것을 권고하나, 혈압 및 저칼륨혈증 조절을 위해 약제 중단이 어려운 경우는 개별화된 임상적 판단 및 평가결과의 해석을 요한다.

임상적으로 검사 전 혈압약제의 변경이 가능하다면,

- 스피로노락톤: 혈장 레닌 활성도 증가, 4주간 중단
- 기타 이뇨제: 혈장 레닌 활성도 증가, 2주간 중단
- 에스트로겐: 혈장 레닌 활성도 증가, 6주간 중단
- 안지오텐신전환효소억제제: 혈장 레닌 활성도 증가, 알도스테론 감소, 2주간 중단
- 비스테로이드성 소염진통제: 혈장 레닌 활성도 감소, 나트륨 저류, 2주간 중단
- 베타차단제: 혈장 레닌 활성도 감소, 2주간 중단

* 칼슘통로차단제, 알파차단제는 검사결과에 거의 영향을 미치지 않는다.

* 안지오텐신전환효소억제제, 안지오텐신수용체차단제, 스피로노락톤 사용에도 불구하고 저칼륨혈증이 교정되지 않으며 혈장레닌활성도가 억제되어 있는 경우(<1 ng/mL/hr), 일차성알도스테론증의 가능성을 시사한다

③ 저칼륨혈증이 없는 상태에서 측정, 필요하면 칼륨을 공급하면서 측정한다.

④ 2시간가량 기립 체위에서 측정: 누워서 측정한 수치보다 진단적 정확성이 있다.

⑤ 나트륨제한을 하지 않는 상태에서 측정한다.

⑥ 레닌 측정을 위한 채혈 시 즉시 얼음물에 보관한다.

참고문헌 //

1) J. Larry jameson, et al. Harrison's Principles of Internal Medicine. 16th ed. New York: Mc-Graw-Hill. 2004; A-7.
2) J. Larry jameson, et al. Harrison's Principles of Internal Medicine. 19th ed. New York: Mc-Graw-Hill. 2015.
3) J. Larry jameson, et al. Harrison's Principles of Internal Medicine. 20th ed. New York: Mc-Graw-Hill. 2018.
4) Shlomo Mened MBchB MACP, et al. Williams Textbook of Endocrinology. 14th ed. Philadelpia: Elesvier Saunders. 2019.

캅토프릴에 의한 레닌-알도스테론 반응검사

1. 검사 목적
- 일차알도스테론증의 진단

2. 검사 원리
- 캅토프릴은 안지오텐신 전환효소를 억제하여 알도스테론 생산을 저하시키므로 캅토프릴에 의한 알도스테론 억제여부로 일차알도스테론증과 정상을 감별한다.

3. 검사 방법
- 알도스테론 측정을 위한 기저 채혈을 한 후 오전 9시에 캅토프릴 50 mg을 경구로 투여하고 나서 90분 후에 알도스테론 측정을 위한 채혈을 시행한다. 2016년 미국내분비학회 진료지침에서는 캅토프릴 25-50mg을 경구 복용 후 1hr 혹은 2hr에 알도스테론을 측정하도록 하고 있다.

4. 검체 채취의 주의
- 알도스테론 측정에 영향을 주는 고혈압 약제 (ACEI, ARB, 이뇨제 등)를 복용하고 있는 환자는 약제를 중단하고 검사를 실시해야 한다. 저칼륨혈증이 있는 경우에는 먼저 이에 대한 교정이 필요하다.

5. 판정 기준

1) 정상: 알도스테론이 기저치에 비해 20% 이상 감소하고 15 ng/dL 미만(국내 전문가 의견).

   알도스테론이 기저치에 비해 30% 이상 감소(미국내분비학회 일차알도스테론증 진료지침)

2) 일차알도스테론증: 억제되지 않는다.

6. 참고 사항

1) 고혈압이 심하거나 고령자에서 생리식염수 부하시험이 어려운 경우에 간편히 이용할 수 있는 검사이나 역시 위험성이 있다.

2) 일차알도스테론증을 진단하는 데 민감도 90-100%, 특이도 50-80%.

참고문헌 ///

1) Shlomo Mened MBchB MACP, et al. Williams Textbook of Endocrinology. 10th ed. Philadelpia: Elesvier Saunders. 2002;574.

2) John W Funder, Robert M Carey, Franco Mantero, et al. The Management of Primary Aldosteronism: Case Detection, Diagnosis, and Treatment: An Endocrine Society Clinical Practice Guideline. J Clin Endocrinol Metab 2016;101:1889-916.

식염수 주입에 의한 알도스테론 억제검사

1. 검사 목적

- 일차알도스테론증을 진단

2. 검사 원리

- 정상인에서는 안정 시에 생리식염수를 투여하면 레닌 분비 억제에 의해 알도스테론이 억제되나 일차알도스테론증에서는 알도스테론의 자율적 분비에 의해 변화가 없다.

3. 검사 방법

- 기저 알도스테론 측정을 위한 채혈을 한 후 생리식염수를 시간당 500 mL의 속도로 4시간 주입하고 알도스테론 측정을 위해 채혈한다.

검사명	식염수 주입에 의한 알도스테론 억제검사			
시간		Basal	0hr	4hr
투여약제	Normal saline 500 mL/hr for 4hr		--------	
검체	알도스테론	+		+

4. 검체 취급상의 주의

- 혈장 알도스테론: EDTA 함유 튜브에 채혈한다.

5. 판정 기준

- 식염수 주입이 종료된 4시간째 채혈한 알도스테론이 5 ng/dL (140 pmol/L) 미만으로 억제되면 정상이다. 5 ng/dL 미만으로 억제되지 않는 소견은 일차성알도스테론증을 시사한다. 일차성알도스테론증 환자는 대부분 10 ng/dL 이상으로 억제되지 않는 소견을 보인다. 5-10 ng/dL 결과는 특발성 양측부신증식증에서 더 흔하게 관찰될 수 있다.

6. 검사에 영향을 주는 요인

- 식염 섭취량이 많은 경우에 변화가 없을 수 있다.

7. 주의 사항

1) 칼륨 결핍이 있는 경우 시행해서는 안된다.
2) 심장, 신장의 병변이 있는 환자에서 급성 심부전에 의한 폐부종이 일어날 수 있어 주의를 요한다.

참고문헌 //

1) Shlomo Mened MBchB MACP, et al. Williams Textbook of Endocrinology. 14th ed. Philadelpia: Elesvier Saunders. 2019;1106.

2) J. Larry jameson, et al. Harrison's Principles of Internal Medicine. 20th ed. New York: Mc-Graw-Hill. 2018;2726

경구 나트륨 부하에 의한 알도스테론 억제검사

1. 검사 목적
- 일차알도스테론증 진단

2. 검사 원리
- 정상인에서는 나트륨 부하 시 레닌 분비 억제에 의해 알도스테론이 억제되나 일차알도스테론 증에서는 알도스테론의 자율적 분비에 의해 변화가 없다.

3. 검사 방법
- 경구로 하루 200 mEq 이상의 나트륨(12.8 g sodium chloride)을 3일간 투여 전후에 24시간 소변 알도스테론과 나트륨을 측정한다.

검사명	경구 나트륨 부하에 의한 알도스테론 억제검사				
날짜		Day1	Day2	Day3	Day4
투여약제	매일 NaCl 200 mEg 이상을 3일간 경구로 투여 ± fludorcortisone 0.2 mg bid		----------------		
검체	24시간 소변 알도스테론	-----			-----
	24시간 소변 나트륨	-----			-----
	24시간 소변 크레아티닌	-----			-----

4. 판정 기준
- 일차알도스테론증: 24시간 소변 나트륨이 200 mEq/24hr 이상인 경우 sodium loading 이 성공적으로 시행된 것으로 평가한다. 24시간 소변 알도스테론 배설량이 12 μg/24hr 이상이면 진단한다.

5. 참고 사항
- 일차알도스테론증과 본태고혈압을 감별하는 데 민감도는 96%, 특이도는 93%에 이른다.

6. 주의 사항

- 칼륨 결핍이 있는 경우 시행해서는 안 된다. 경구 나트륨 부하는 소변칼륨배출을 촉진하여 저칼륨혈증을 악화시킬 수 있으므로, 검사 도중 충분한 칼륨 보충 및 모니터링을 요한다. 나트륨 부하로 인한 혈압 조절의 악화 가능성이 있어 개별화된 위험평가를 통해 검사 시행여부를 판단해야 한다.

참고문헌 ///

1) Shlomo Mened MBchB MACP, et al. Williams Textbook of Endocrinology. 10th ed. Philadelpia: Elesvier Saunders. 2002;574-5.

부신정맥 도자술 및 부신정맥 채혈

1. 검사 목적

- 일차알도스테론증의 아형 감별의 gold standard 검사로 알도스테론 분비선종과 특발성 양측부신증식증 감별 및 치료방향 결정에 도움을 준다.

2. 검사 원리

- 일측성 알도스테론분비선종의 경우 양측 부신정맥에서 채혈 시 이환된 쪽의 알도스테론 농도가 그렇지 않은 쪽에 비해 높다. 양측성의 경우 양측의 차이가 뚜렷하지 않다.

3. 검사 방법

1) 전완부 정맥에 부신피질자극호르몬 주입을 위한 혈관을 확보한다.
2) 저용량 부신피질자극호르몬 자극: 대퇴정맥을 통한 도자술 시행 30분 전부터 검사 종료 시까지 Synacthen을 50 mcg/hour씩 지속적으로 주입한다.
3) 대퇴정맥 도자술을 통해 양측 부신정맥 및 신정맥 아래 하대정맥에서 채혈 시행한다.

4. 검사결과 및 판정 기준

- 부신피질자극호르몬 자극중 부신도자술
  - 부신정맥/하대정맥 코르티솔 비율로 도자삽입성공여부를 판정한다(최소 >3:1, 부신피질자극호르몬 자극 검사 시>5:1 기준을 활용하기도 함).
  - 한쪽 부신정맥에서 채혈한 알도스테론/코르티솔이 반대쪽 정맥 알도스테론/코르티솔과 비교하여 4:1 이상의 비를 보이면 알도스테론/코르티솔이 높은 쪽을 일측성 병변부위로 판정한다. 3:1 이하이면 양측성으로 판정한다. 4:1과 3:1 사이는 두 subtype이 중첩되어 있어 임상적으로 판단한다.
  - >4:1 이상 시 일측성 질환 진단에 민감도 95%, 특이도 98.6%를 보인다.

5. 알도스테론 생성 선종과 특발성 양측부신증식증의 감별진단

	알도스테론 생성 선종	특발성 양측부신증식증
기립자세에 의한 알도스테론	무반응 혹은 감소	증가
저칼륨혈증	심함	경함
레닌활성도	심한 감소	경한 감소
알도스테론	>20 ng/dL	<20 ng/dL
18-hydroxycorticosterone	>100 ng/mL	<100 ng/mL
부신정맥 도자 및 채혈	양측 부신정맥 알도스테론 농도차>10	농도차<10
NP-59 스캔	편측(+)	편측(-)
치료	부신 절제	칼륨보존 이뇨제

6. 참고 사항

1) 좌측 부신정맥은 좌측 신정맥으로 배출되나 우측 부신정맥은 하대정맥으로 배출되어 좌측보다 우측 실패율이 높으며, 우측 부신정맥 도자 성공률은 76% 정도로 보고된다. 경험이 누적된, 숙련된 술자가 시행 시 부신정맥도자술은 96% 이상 성공률이 보고된다.

2) 숙련된 술자가 필수적이며, 2.5% 이하로 발생하는 드문 합병증으로 부신정맥 혈전증에 의한 부신경색 및 부신부전이 있다.

참고문헌 //

1) J. Larry jameson, et al. Harrison's Principles of Internal Medicine. 20th ed. New York: Mc-Graw-Hill. 2018;379.

2) Shlomo Mened MBchB MACP, et al. Williams Textbook of Endocrinology. 14th ed. Philadelpia: Elesvier Saunders. 2019;542-72.

덱사메타손에 의한 알도스테론 반응검사

1. 검사 목적

일차알도스테론증과 당질코르티코이드 치료가능 알도스테론증(GRA; glucocorticoid remediable aldosteronism)의 감별진단

2. 검사 원리

당질코르티코이드 치료가능 알도스테론증은 알도스테론을 생산하는 효소의 발현이 유전적 결함으로 인해 부신피질자극호르몬에 의해 주로 조절되므로 덱사메타손에 의한 부신피질자극 호르몬 억제 시 알도스테론 분비가 감소하는지를 검사한다.

3. 검사 방법

덱사메타손을 자정에 1 mg 경구 투여하고 다음 날 오전 6시에 0.5 mg 추가 투여한 다음 기립 후 알도스테론을 측정한다.

검사명	덱사메타손에 의한 알도스테론 반응검사			
시간		12PM	6AM	8-9AM
투여약제	덱사메타손 1 mg	+		
	덱사메타손 0.5 mg		+	
검체	기립자극		---------------	
	알도스테론			+

4. 판정 기준

1) 당질코르티코이드 치료가능 알도스테론증: 알도스테론치가 5 ng/dL 미만으로 감소한다.

2) 일차알도스테론증: 무반응이다.

5. 참고 사항

1) 이 질환을 일으키는 유전자가 최근 발견되었으며, 11β-수산화효소의 5' 조절부위와 알도스테론 합성효소의 구조부위(coding sequence)의 잡종유전자(chimeric gene)로 구성되어 있음이 알려졌다. 부신피질자극 호르몬에 예민한 11β-수산화효소의 조절작용에 의해 코르티솔의 18-수산화 코르티솔 변환과 알도스테론 생성이 증가한다.

2) 3주간 덱사메타손을 하루에 2 mg씩 투여하면 당질코르티코이드 치료가능 알도스테론증의 경우 억제된 레닌-안지오텐신계의 회복이 이루어지고 칼륨과 알도스테론이 정상화되며 혈압도 하강한다.

참고문헌 //

1) DeGroot. Endocrinology. 5th ed. Philadelpia: ElsevierScienceHealthScience. 2015;2470-5.

염분제한에 의한 알도스테론 자극검사
퓨로세미드에 의한 알도스테론 자극검사
기립에 의한 알도스테론 자극검사

1. 검사 목적

1) 저알도스테론증의 진단

2) 알도스테론 생성 선종과 특발성 양측부신증식증(idiopathic bilateral adrenal hyperplasia)의 감별진단

2. 검사 원리

퓨로세미드(furosemide)의 혈압 저하 효과와 서 있게 하는 것은 체액을 감소시켜 교감신경계 통해 레닌 분비를 자극하여 염류코르티코이드의 예비능과 레닌-안지오텐신-알도스테론계의 반응성을 검사한다.

3. 검사 방법

1) 기립에 의한 알도스테론 자극검사: 수면 후 아침에 누운 자세에서 레닌 활성도, 알도스테론 측정을 위한 채혈을 하고 4시간 동안 기립자세를 유지한 후 레닌 활성도, 알도스테론 측정을 위한 채혈을 시행한다.

2) 염분제한에 의한 알도스테론 자극검사: 기저 레닌 활성도 및 알도스테론 측정, 3-5일간 하루 10 mmol로 나트륨 섭취제한 후 기립 시 레닌 활성도 및 알도스테론 측정.

3) 퓨로세미드에 의한 알도스테론 자극검사: 정상염분섭취 상태에서 아침 공복 안정시에 기저 레닌 활성도와 알도스테론 측정을 위한 채혈을 하고 퓨로세미드 (Lasix 1앰플 20 mg/2 mL) 40-80 mg을 정맥주사 후 2-3시간 동안 서서 다니게 한 다음 채혈하여 혈장 레닌 활성도와 혈장 알도스테론을 측정한다.

검사명	기립자극에 의한 알도스테론 자극검사			
시간		Basal	0hr	4hr
처치	기립자세		----------------	
검체	레닌활성도	+	+	+
	알도스테론	+	+	+

검사명	염분제한 및 기립자극에 의한 알도스테론 자극검사					
날짜		Day1	Day2	Day3		Day4-6
시간		Basal			0h	2-3hr
처치	염분제한	----------------------------				
	기립자세					-----
검체	레닌활성도	+			+	+
	알도스테론	+			+	+

검사명	프로세미드 및 기립자극에 의한 알도스테론 자극검사			
시간		Basal	0h	2-3hr
투여약제	라식스 40-80 mg IV		+	
처치	기립자세		--------------	
검체	레닌활성도	+	+	+
	알도스테론	+	+	+

4. 판정 기준

1) 정상반응

① 염분제한 및 기립 자극: 염분제한 후 누워서 측정한 알도스테론이 기저치에 비해 3-6배 상승, 기립 시 누워서 측정한 수치에 비해 2-4배 추가 상승

② 퓨로세미드 및 기립 자극: 알도스테론이 기저치에 비해 2-4배 상승

2) 염분제한 및 기립자극, 퓨로세미드 및 기립자극에 의한 저알도스테론증의 감별 진단

① 저레닌성 저알도스테론증: 레닌이 낮고 알도스테론 반응이 감소, 주로 당뇨병, 신부전에서 발생한다.

② 알도스테론 합성의 장애나 안지오텐신(angiotensin) II에 대한 선택적 저반응: 레닌이 높고 알도스테론 반응이 감소, 심각하게 아픈 환자에서 부신괴사나 당류코르티코이드 생산을 위해 염류코르티코이드(mineralocorticoid) 생산이 차단되어 고레닌증을 동반한 저알도스테론증(hyperreninemic hypoaldosteronism)이 발생하며 고칼륨혈증은 없고 사망률이 80%에 이른다.

③ 거짓저알도스테론증(pseudohypoaldosteronism): 레닌이 증가하나 알도스테론 반응이 정상이다.

3) 기립(4시간)에 의한 알도스테론 자극검사

① 알도스테론 생성 선종: 알도스테론이 변하지 않거나 오히려 감소, 기립자극시 63%에서 알도스테론이 감소하고 32%에서 알도스테론이 증가한다.

② 특발성 양측부신증식증: 정상반응, 기립자극 시 100%에서 알도스테론 증가한다.

5. 참고 사항

1) 저알도스테론증을 진단하기 전에 먼저 거짓고칼륨혈증(pseudohyperkalemia)을 유발하는 용혈이나 혈소판증가증을 배제해야 하며, 다음으로 부신피질자극호르몬 자극에 대해 정상 코르티솔 반응을 확인한 후 약제나 체위에 의한 자극검사를 시행해야 한다.

2) 레닌이 낮고 알도스테론 반응이 감소한 경우는 주로 당뇨병, 신부전에서 발생한다.

3) 레닌이 높고 알도스테론 반응이 감소하는 경우는 심각하게 아픈 환자에서 부신

괴사나 당 질코르티코이드 생산을 위해 염류코르티코이드 생산이 차단되어 고레닌증을 동반한 저알도스테론증이 발생하며 고칼륨혈증은 없고 사망률이 80%에 이른다.

4) 레닌이 증가해있으나 알도스테론이 낮지 않으면 세포막 나트륨통로의 돌연변이로 인한 거짓저알도스테론증이다.

6. 부작용과 대책

기립성 저혈압으로 어지러움증이 있으면 부하시험을 중지하고, 회복될 때까지 생리식염수를 정맥주사해야 한다.

참고문헌 ///

1) Espiner EA, Ross DG, Yandle TG, et al. Predicting surgically remedial primary aldosteronism: role of adrenal scanning, posture testing, and adrenal vein sampling. J Clin Endocrinol Metab 2003;88:3637-44.

2) J. Larry jameson, et al. Harrison's Principles of Internal Medicine. 16th ed. New York: McGraw-Hill. 2004;2133.

3) J. Larry jameson, et al. Harrison's Principles of Internal Medicine. 16th ed. New York: McGraw-Hill. 2004;2140-5.

CHAPTER **5**

부신수질

카테콜아민/메타네프린(소변·혈장)

1. 검사 목적
- 갈색세포종, 부신경절종, 신경아세포종의 진단

2. 검사 방법
1) 혈장: 액체크로마토그라피-탠덤 질량분석법, 소변-고속 액체크로마토그라피법
2) 혈압이 높거나 증상이 있을 당시의 24시간 소변 또는 혈장에서 검사한다.

3. 참고치

24시간 소변	
유리 카테콜아민	<100 µg/day
에피네프린	<50 µg/day
노르에피네프린	15-89 µg/day
메타네프린	52-341 µg/day
노르메타네프린	88-444 µg/day
바닐릴만델산(vanillylmandelic acid, VMA)	<8 mg/day
혈장	
혈장 메타네프린	<0.50 nmol/L
혈장 노르메타네프린	<0.90 nmo/L

4. 갈색세포종의 진단
1) 24시간 소변의 메타네프린, 유리 카테콜아민, 바닐릴만델산 중 메타네프린과 유리 카테콜아민의 민감도가 바닐릴만델산과 같거나 더 우월하다.

5. 검체의 채취와 취급
1) EDTA 함유 튜브에 채혈하여 4℃에서 원심분리하고, 혈장을 -20℃에 보존한다.
2) 카테콜아민 채혈 시에는 일반적으로 20분간 누워서 안정 후에 시행한다.
3) 카테콜아민의 요중 농도를 측정할 경우 소변 100 mL당 6 N 염산 20 mL를 첨가하여 4-6℃에서 24시간 소변을 모은다.
4) 24시간 소변 검체의 적절성을 평가하기 위해 24시간 소변 크레아티닌을 반드시 측정.

6. 측정치에 영향을 주는 요인

1) 카테콜아민은 소아에서 낮고, 겨울철에 높으며, 운동, 기립 후(특히 노르에피네프린은 1.5-2배), 스트레스 등에서 증가되고 노르에피네프린은 고령에서 경도로 증가된다.

2) 비색법으로 바닐릴만델산을 선별검사할 경우에는 바나나, 바닐라 함유식품, 살리칠산 등에 위양성이 되며 일반적으로 에피네프린의 약 4-5%가 바닐릴만델산으로 배출된다.

3) 투여약제의 영향: 혈압 강압제 중 카테콜아민과 유사한 화학구조를 가진 알파메틸도파, 이소프로테레놀, 라베타롤 등과, 카테콜아민의 생합성, 대사에 영향을 주는 레설핀, 구아네티딘, 티라민 등은 측정에 영향을 미친다.

참고문헌 //

1) Shlomo Mened MBchB MACP, et al. Williams Textbook of Endocrinology. 14th ed. Philadelpia: Elesvier Saunders. 2019;551-4.

2) J. Larry jameson, et al. Harrison's Principles of Internal Medicine. 20th ed. New York: McGraw-Hill. 2018;384.

3) Pheochromocytoma and paraganglioma: An Endocrine Society Clinical Practice Guideline. J Clin Endocrinol Metab 2014;99:1915-42.

클로니딘에 의한 카테콜아민 억제검사

1. 검사 목적

- 노르에피네프린과 노르메타네프린 수치의 상승이 경미한 경우
- 다른 원인과 구별하여 갈색세포종(명확한 고혈압이 있는 경우)을 진단

2. 검사 원리

- 클로니딘의 중추성 신경억제 작용에 의해 본태성 고혈압에서는 혈압이 떨어지며, 혈중 카테콜아민 농도가 감소하나, 갈색세포종에서는 그 정도가 작거나 불변한다.

3. 검사 방법

- 누운 자세에서 30분 정도 안정된 후 검사를 시행한다.
- 혈압을 측정하고 이후 기저치 혈액을 채취한다. 기저 혈압이 120/80 mmHg 미만인 경우 저혈압에 주의가 필요하다.
- 클로니딘(카타프레스) 0.3 mg (60-80kg 체중 기준, 4.3 μg/kg, 최대 0.5 mg)을 250 mL 물과 함께 경구 투여하고 매시간 혈압을 측정하고 3시간 후 혈중 카테콜아민을 측정한다.
- 저혈압이 발생할 수 있으므로 누운 자세에서 검사를 시행한다.

4. 검체 취급상의 주의
- EDTA 함유 튜브에 채혈하여 4℃에서 원심분리하여 혈장을 -20℃에 보관한다.
- 채혈과 혈장 준비 시간이 1시간 초과 시 카테콜아민은 4℃에서는 상승하고 -20℃에서는 감소한다.

5. 판정 기준
- 양성반응: 3시간째 노르에피네프린과 노르메타네프린이 정상 상한치 이상으로 억제되지 않는 경우, 민감도 96%, 특이도 96.1%이다.

6. 검사에 영향을 주는 요인
* 다음과 같은 경우 혈압저하가 명확하지 않음
1) 탈수
2) 검사 2일 전까지 β차단제 복용
3) 압력수용체의 이상증

7. 부작용과 대책
- 혈압 저하가 심한 경우(수축기 혈압 100 mmHg 이하), 또는 혈압 저하에 따라 어지러움증 등의 증상이 있는 경우에는 생리식염수를 정맥주사한다.

참고문헌 //

1) Shlomo Mened MBchB MACP, et al. Williams Textbook of Endocrinology. 14th ed. Philadelpia: Elesvier Saunders. 2019;553.

2) Pheochromocytoma and paraganglioma: An Endocrine Society Clinical Practice Guideline. J Clin Endocrinol Metab 2014;99:1915-42.

I¹²³ MIBG scan/SPECT-CT

1. 검사 목적 및 검사 원리
- MIBG(metaiodobenzylguanidine)는 노르에피네프린과 같은 재흡수 기전으로 교감신경 말단이나 부신수질에 섭취되므로 갈색세포종이나 신경모세포종에 섭취가 많이 되어 이들 종양의 진단, 병기결정, 재발 및 전이 여부의 진단에 이용한다.

2. 검사 방법
- I¹²³ MIBG 를 정맥주사한 후 24시간 후 촬영한다.
- 정맥주사를 맞기 1일전부터 Potassium Iodide (Gemstain or lugol's solution) 130 mg/일을 물에 희석해서 4일간 복용한다.
  (예: Gemstain 용량: 1일 용량 성인 0.8 mL (10방울), 5방울씩 아침-저녁 분복)

3. 검사 시 주의사항
- Opioid, 삼환계 항우울제, 교감신경흥분제, 아미오다론, 페노티아진, 라베타롤, 레세르핀, 칼슘통로차단제, ACE 억제제 등은 영상에 영향을 주는 약제로 주치의와 상의하에 중단이 필요할 수 있다.
- 금식은 필요하지 않다.

참고문헌 ///

1) Shlomo Mened MBchB MACP, et al. Williams Textbook of Endocrinology. 14th ed. Philadelpia: Elesvier Saunders. 2019;554-5.
2) Pheochromocytoma and paraganglioma: An Endocrine Society Clinical Practice Guideline. J Clin Endocrinol Metab 2014;99:1915-42.
3) Bombardieri E, Giammarile F, Aktolun C, et al. 131I/123I-metaiodobenzylguanidine (mIBG) scintigraphy: procedure guidelines for tumor imaging. Eur J Nucl Med Mol Imaging 2010;37:2436-46.

갈색세포종 유전자 검사

1. 검사 목적
- 갈색세포종과 부신경절종의 생식세포 유전자 돌연변이 유무 확인

2. 검사 방법
1) 총 10종(*MAX, NF1, RET, SDHA, SDHB, SDHC, SDHD, TMEM127, VHL, FH*) 유전자의 coding region 및 그 flanking region의 염기서열을 검사한다.
2) 타겟엑솜시퀀싱
3) EDTA 6 mL검체 채혈 후 냉장 보관한다.

3. 해석시 주의사항
- regulatory region 또는 deep intron의 돌연변이는 검출할 수 없으며, 그 밖에 각 유전자의 deletion/duplication은 검출되지 않을 수 있다.

참고문헌 //

1) Pheochromocytoma and paraganglioma: An Endocrine Society Clinical Practice Guideline. J Clin Endocrinol Metab 2014;99:1915-42.
2) Mercado-Asis LB, Wolf KI, Jochmanova I, et al. PHEOCHROMOCYTOMA: A GENETIC AND DIAGNOSTIC UPDATE. Endocr Pract 2018;24:78-90.

CHAPTER **6**

성선 내분비

테스토스테론(Testosterone) 측정

1. 검사 목적
1) 사춘기 조발 및 지연의 진단
2) 남성 생식샘저하증의 진단
3) 여성의 다모증, 남성화의 진단

2. 참고치
1) 총테스토스테론
- 남성 270-1,070 ng/dL
- 여성 6-86 ng/dL

2) 유리테스토스테론
- 남성 90-300 pg /mL
- 여성 3-19 pg/mL

3. 참고 사항
1) 대부분의 혈액 테스토스테론은 성호르몬 결합글로블린(sex hormone binding globulin, SHBG, 44-66%)와 알부민(33-34%)에 결합되어 있으며 1.0-4.0%만이 유리형(free testosterone)으로 존재한다. 대개의 경우 총테스토스테론의 측정은 테스토스테론 분비를 정확하게 반영한다. 유리 테스토스테론의 측정은 테스토스테론과 성호르몬 결합글로블린의 결합에 이상이 생기는 상황에서 유용한 방법으로, 비만할 경우 결합이 감소하며 노화가 진행할수록 결합이 증가한다. 총 테스토스테론은 방사면역검사(radioimmunoassays), 면역계측검사(immunometric assays), 또는 액체크로마토그래피 텐덤 질량분광법(liquid chromatography tandem mass spectrometry (LC-MS/MS))을 이용해 측정할 수 있다. 이중 LC-MS/MS가 가장 정확하고 민감도가 높은 측정법이다. 혈액 유리 테스토스테론은 equilibrium dialysis 방법이 정확하며, 흔히 검사에 이용되는 아나로그 방법(tracer analogue method)은 간편하지만 정확도가 떨어지는 단점이 있다. 생체유용 테스

토스테론은 유리 테스토스테론과 알부민에 결합된 테스토스테론의 합으로 황산 황모니움을 이용하여 성호르몬 결합글로불린 결합 테스토스테론을 침착시킨 후에 측정할 수 있다. 황산 암모니움을 이용한 생체유용 테스토스테론은 상대적으로 저렴하고 편리하나, 부정확하여 권유하고 있지 않다.

2) 방사면역검사 방법으로 측정한 혈액 총테스토스테론 농도는 사춘기 이전 소년기에 5-20 ng/dL이며 사춘기에 급속히 증가하여 약 300-1,000 ng/dL에 이른다. 총테스토스테론은 연령이 증가하면서 점차 감소하며, 연령이 증가하면서 성호르몬 결합글로블린은 증가하므로 유리 테스토스테론은 더욱 감소한다. 여성에서는 사춘기에 관계없이 낮은 농도로 유지된다.

3) 테스토스테론은 일중 변동을 보이며 젊은 성인의 경우 아침 8시에 최고치를 보이며 저녁 8시에 가장 낮은 값(최고치의 약 70%)을 보인다. 그러나 노인의 경우에 변동의 폭이 작아진다. 높은 값을 보일 때 감소와 정상을 구분하기 용이하므로 테스토스테론은 오전 7시에서 오전 10시 사이에 측정한다. 오전 공복에 테스토스테론을 채혈하는 것이 일중 변동성을 보이는 테스토스테론의 혈액 내 평균적인 농도를 잘 반영하는 것으로 알려져 있다.

4) 대개 한 차례만 측정해도 여러 번 측정한 것과 유사한 결과를 얻지만, 황체형성호르몬의 박동성 분비에 의하여 변동이 있을 수 있으므로, 처음 측정에서 비정상이거나, 경계성 값일 경우 혹은 여타 임상 상황과 맞지 않을 경우에는 재측정을 한다.

참고문헌 //

1) J. Larry jameson, et al. Harrison's Principles of Internal Medicine. 19th ed. New York: McGraw-Hill. 2015;2763.

2) J. Larry jameson, et al. Harrison's Principles of Internal Medicine. 20th ed. New York: McGraw-Hill. 2018;2773.

성선호르몬 자극검사(남성)

1. 검사 목적
1) 남성호르몬의 분비 예비능 검사

2) 무고환증과 잠복고환의 감별

2. 검사 방법

- 사람융모성 생식샘자극호르몬(human chorionic gonadotropin, HCG)을 1,500-4,000 IU 근육주사하고 테스토스테론을 측정하는데, 주사전 기저치, 주사 후 24시간, 48시간, 72시간, 그리고 120시간의 혈액 테스토스테론 농도를 측정한다. 혹은 하루에 한 차례씩 1,500 IU의 인용모성선자극호르몬을 연속적으로 3일간 투여하고 마지막 투여 24시간 후에 혈액 테스토스테론 농도를 측정한다.

가. 정상반응

1) 성인 남자 - 기저치보다 테스토스테론 농도가 두 배 이상 증가.
2) 사춘기 전 소년기 - 테스토스테론 농도가 150 ng/dL 이상 증가.

3. 참고 사항

- HCG는 황체형성호르몬 작용이 있어 라이디히 세포를 자극하여 테스토스테론을 분비한다. 무반응을 보이면 고환조직이 없거나 라이디히 세포의 기능에 문제가 있는 경우를 생각할 수 있다.

참고문헌 //

1) J. Larry jameson, et al. Harrison's Principles of Internal Medicine. 20th ed. New York: Mc-Graw-Hill. 2018;2774.

에스트라다이올(Estradiol)

1. 검사 목적
1) 난소기능의 선별검사
2) 배란유발의 검사

2. 참고치

1) 여성

   (1) 폐경 전

- 여포기 <20-145 pg/mL
- 배란기 112-443 pg/mL
- 황체기 <20-241 pg/mL

   (2) 폐경 후 <59 pg/mL

2) 남성: <20 pg/mL

3. 참고 사항

1) 난소에서 생산되는 주요한 에스트로겐은 에스트라디올이다. 난소에서 에스트론 (estrone)도 생산되지만 대부분의 에스트론은 말초조직에서 안드로스텐다이온이 변화되어 만들어진다. 에스트라이올(estriol)은 소변의 주요한 에스트로겐으로 에스트론과 에스트라디올의 16-수산화에 의해 만들어진다.

2) 남성의 경우, 에스트라디올은 주로 테스토스테론의 방향화(aromatization)나 혹은 안드로스텐다이온이 에스트론과 에스트라디올로 순차적으로 변환되어 만들어진다. 고환에서 직접 분비되는 에스트라디올은 하루 생산량의 15%정도이며 황체호르몬이 증가하면 분비량이 증가한다. 남성에서 에스트라디올은 골성숙과 대사에 중요한 역할을 할 것으로 여겨지며, 과다한 에스트로겐은 여성화를 유발한다.

참고문헌 ///

1) J. Larry jameson, et al. Harrison's Principles of Internal Medicine. 19th ed. New York: Mc-Graw-Hill. 2015:2759.

2) J. Larry jameson, et al. Harrison's Principles of Internal Medicine. 20th ed. New York: Mc-Graw-Hill. 2018:2788-94.

프로제스테론(Progesterone) 측정

1. 검사 목적
1) 배란의 확인
2) 황체기의 적정성 평가

1. 참고치
1) 여성
   (1) 폐경 전
   - 여포기 <1.0 ng/mL
   - 황체기 3-20 ng/mL
2) 남성: <1.0 ng/mL

2. 참고 사항
1) 프로제스테론은 황체에서 생산되는 주요한 호르몬이다. 에스트로겐이 미리 작용한 자궁내막에서 분비활성을 유도하여 수정된 난자가 착상할 수 있도록 해준다. 프로제스테론은 또 한 내막의 탈락반응(decidual reaction)을 유도하며 자궁수축을 억제하고 경부점막의 점성을 낮추며 유선발달을 촉진한다.
2) 주기적이고 예측 가능한 월경은 월경주기의 적절한 프로제스테론이 분비됨을 의미한다. 불임여성의 평가에 있어서 배란 및 황체기의 적정성을 평가하기 위하여 프로제스테론 상태를 아는 것은 중요하다. 가장 효율적인 방법은 월경주기 동안 매일 체온을 측정하는 것이다. 프로제스테론의 체온상승 효과로 인하여 배란 후 2주간 기초체온이 상승하는 것을 관찰할 수 있으며, 황체기 동안 프로제스테론이 적절히 분비되고 있음을 시사한다. 황체기 20-22일에 점성이 높아진 경부점액을 확인하고, 질 세포검사에서 중간세포(intermediate cells)들이 주로 관찰되고, 자궁내막 조직검사에서 분비양 상피가 관찰되면 적절한 황체호르몬 분비를 의미한다. 또한 황체의 기능을 직접적으로 평가하기 위하여 혈액 프로제스테론 농도를 측정할 수 있다. 3 ng/mL 이상이면 성공적인 배란 및 적절한 황체기능을 시사한다.

참고문헌 ///

1) J. Larry jameson, et al. Harrison's Principles of Internal Medicine. 19th ed. New York: Mc-Graw-Hill. 2015;2762.

2) J. Larry jameson, et al. Harrison's Principles of Internal Medicine. 20th ed. New York: Mc-Graw-Hill. 2018;2795.

프로제스테론 자극검사

1. 검사 목적
1) 무월경의 감별진단
2) 난소 에스트로겐 수준의 평가
3) 자궁의 개통성 평가

2. 참고치
- 메드록시 프로제스테론 아세트산염 10 mg을 매일 1회 내지 2회 5일간 경구 복용하거나, 프로제스테론을 100 mg 근주한 후 10일 이내에 소퇴출혈이 있으면 난소에서 에스트로겐 분비가 있는 것으로 판단한다.

3. 참고 사항
1) 정상적인 월경주기 동안에도 혈액 에스트로겐 농도는 변화가 심하고, 비정상적인 월경주기를 가진 여성에서 현재의 주기 중 날짜를 판단하기가 어려우므로 혈액 혹은 소변의 에스트로겐 농도 측정만으로 에스트로겐 상태를 알기는 어렵다. 현재 정상적인 2차 성징을 보인다면 거의 에스트로겐 상태는 정상적이었다는 것을 시사한다.

2) 현재의 에스트로겐 상태는 부인과적 검사 및 프로제스테론 자극검사를 통하여 알 수 있다. 맑고 얇은 자궁경부 점액을 관찰할 수 있고 세포검사에서 성숙한 원추형 질상피세포를 관찰할 수 있으면 에스트로겐 상태는 정상인 것으로 판단한다. 추가적으로 프로제스테론 소퇴 출혈검사를 하여 자궁내막, 출구 경로의 이상 및 에스트로겐 상태에 대한 종합적인 판단을 할 수 있다. 난소에서 에스트로겐

분비가 적절하면 프로게스테론 투여 후 소퇴출혈이 관찰된다.

1) J. Larry jameson, et al. Harrison's Principles of Internal Medicine. 20th ed. New York: Mc-Graw-Hill. 2018;2797.

인융모성선자극호르몬(β-hCG)

1. 검사 목적
1) 임신의 진단
2) 융모암, 포상기태의 진단

2. 참고치

1) Nonpregnant female	<5 mIU/mL
2) 1–2 weeks postconception	9–130 mIU/mL
3) 2–3 weeks postconception	75–2,600 mIU/mL
4) 3–4 weeks postconception	850–20,800 mIU/mL
5) 4–5 weeks postconception	4000–100,200 mIU/mL
6) 5–10 weeks postconception	11,500–289,000 mIU/mL
7) 10–14 weeks postconception	18,300–137,000 mIU/mL
8) Second trimester	1400–53,000 mIU/mL
9) Third trimester	940–60,000 mIU/mL

3. 참고 사항
1) β-hCG는 태반 융모에서 분비되는 분자량 38,000의 당단백 호르몬이며 황체형성호르몬, 난포자극호르몬, 갑상선자극호르몬 등과 공통 구조로 되어있는 α-소단위와 특이적 구조인 β-소단위로 구성된다. β-소단위도 황체형성호르몬과 유사하나 C 말단에 대한 특이 항체를 이용한 방사면역검사가 개발되었다. 인융모성

선자극호르몬은 태반의 영양모세포에서 생산되며 산모의 혈액과 소변에 존재한다. 예민한 검사를 이용하면 배란 후 8-10일 후에 임신을 진단할 수 있다.

2) 소변의 β-hCG 배설을 이용한 간단한 임신진단 키트는 라텍스(Latex) 응집반응을 이용한다.

참고문헌 ///

1) J. Larry jameson, et al. Harrison's Principles of Internal Medicine. 19th ed. New York: McGraw-Hill. 2015;2760.

2) J. Larry jameson, et al. Harrison's Principles of Internal Medicine. 20th ed. New York: McGraw-Hill. 2018;2795.

성선호르몬 자극검사(여성)

1. 검사 목적
1) 속발성 무월경 환자의 난소 기능 검사

2. 참고치
1) 사람폐경생식샘자극호르몬(human menopausal gonadotropin, HMG) 부하: HMG 제제 1일 225 IU(보통 75 IU 3 앰플)를 3일간 연속하여 근육주사하며, 주사 시작일부터 1일 4회 혈중 에스트라다이올(E2)을 측정한다.

정상반응은 혈중 E2의 최고치가 300-1,300 pg/mL

- 과잉반응: 다낭포성 난소
- 정상반응: 시상하부 이상
- 저반응: 뇌하수체 이상
- 무반응: 난소 이상

2) HCG 부하: 기초체온이 증가하는 날부터 3일 동안, 1일 5,000 IU씩 3일 간격으로 근육주사하며, 최종 주사 다음 날 혈중 에스트라다이올(E2)과 프로제스테론(P)을 측정한다.

정상반응은 혈액 E2 150 pg/mL 이상, P 10 ng/mL 이상

- 에스트라다이올 반응 저하: 에스트로겐 분비 부족
- 프로제스테론 반응 저하: 황체호르몬 분비 부족
- 양자 반응 저하: 황체 기능 이상

4. 참고 사항

1) HMG 부하: HMG의 난포자극호르몬 작용에 의해 난포가 발달하여 에스트라다이올을 분비한다.
2) HCG 부하: 사람융모성 생식샘자극호르몬의 황체형성호르몬 작용에 의해 난소에 황체가 형성되어 에스트라다이올과 프로제스테론이 증가한다.
3) 기초 체온 측정, 혈청 황체형성호르몬, 난포자극호르몬, 에스트라다이올, 소변 에스트라다이올의 측정은 속발성 무월경의 가능성이 높은 환자를 대상으로 시행되며, HMG-HCG 요법의 적응 결정과 치료효과의 예측에도 이용된다.
4) 보통 무월경 환자에서는 수시로 검사하나, 정상 월경이 있는 환자를 대상으로 할 경우에는 월경주기 3일째에 시작한다. 에스트라다이올은 일중 변동이 있으므로 일정한 시간에 채혈한다(보통 오전 9-10시).
5) HMG시험에 정상 반응을 보이는 경우에 HMG로 배란율과 임신율이 높다.

참고 문헌

1) J. Larry jameson, et al. Harrison's Principles of Internal Medicine. 16th ed. New York: Mc-Graw-Hill. 2004;A-4.
2) J. Larry jameson, et al. Harrison's Principles of Internal Medicine. 16th ed. New York: Mc-Graw-Hill. 2004;2201.

CHAPTER **7**

당뇨병의 평가와 췌장 기능 검사

경구 포도당 부하 검사(Oral glucose tolerance test)

1. 검사 목적
1) 당뇨병의 진단
2) 내당능장애(impaired glucose tolerance, IGT)의 진단

2. 검사 준비 시 주의 사항
1) 전날 밤부터 8시간 이상 금식 후 아침 공복에 실시하며 검사 3일 전까지 일상적인 식사 섭취 상태(당질 150 g 이상)이어야 한다.
2) 기존 당뇨병 약제를 복용하고 있는 환자에서 검사를 진행할 경우, 최소 48시간 이전에 약물을 중단한다.
3) 급성 질환이 있는 경우에는 2주간 이상 경과 후 시행한다.
4) 티아자이드 이뇨제, 경구피임제(에스트로겐과 프로게스테론 제제), 페니토인 등의 혈당에 영향을 주는 약제 복용은 가능하면 검사 전 3일간 복용을 중지한다.
5) 검사 전날 소주 2홉 이상의 알코올은 섭취하지 않는다.
6) 검사직전이나 검사 중 흡연을 피한다.

3. 검사 방법
1) 75 g 포도당 용액 섭취 전, 혈장 혈당, 인슐린, C-펩티드를 측정한다(0분).
2) 75 g 포도당 용액 섭취 후, 30, 60, 90, 120분의 혈장 혈당을 측정한다.
3) 75 g 포도당 용액 섭취 후, 30분의 인슐린, C-펩티드를 측정한다.

4. 검사 시 주의 사항
1) 검사 중 대화, 심한 신체 활동, 수면 및 물 이외의 경구 섭취는 피한다.
2) 75 g 포도당 용액 섭취 시, 구토하지 않도록 5분에 걸쳐 천천히 마신다.
3) 75 g 포도당 용액을 섭취하다 구토를 한 경우에는 검사를 종료하고, 다음 날 다시 검사를 시행한다.
4) 너무 차게 하면 장운동이 촉진되어 복통이 있을 수 있으므로 실온으로 사용하는 것이 좋다.

5. 결과 해석

1) 당뇨병의 진단

		정맥 혈장
당뇨병(DM)	공복 시	≥126 mg/dL (≥7.0 mmol/L)
	2시간	≥200 mg/dL (≥11.1 mmol/L)
내당능장애(IGT)	2시간	140 mg/dL (7.8 mmol/L)–199 mg/dL (11.0 mmol/L)
공복혈당장애 (Impaired Fasting Glucose)	공복 시	100 mg/dL (5.6 mmol/L)–125 mg/dL (6.9 mmol/L)

2) 임신성 당뇨병의 진단

임신 전 당뇨병으로 진단받지 않은 임신부는 임신 24-28주에 1단계 접근법과 2단계 접근법 중 한 가지를 사용하여, 임신성 당뇨병의 선별검사를 받아야 한다.

① 1단계 접근법: 8시간 이상 금식 후, 75 g 경구 당부하 전, 1시간 후, 2시간 후 혈당 측정한다.

② 2단계 접근법:
- 금식 없이 50 g 경구 당부하 검사로 스크리닝 검사 진행한다.
- 스크리닝 검사 결과 혈당이 140 mg/dL(고위험 산모의 경우는 130 mg/dL) 이상이면, 8시간 이상 금식 후 100 g 경구 당부하 검사로 확진한다.

* 검사 시기: 임신 24-28주

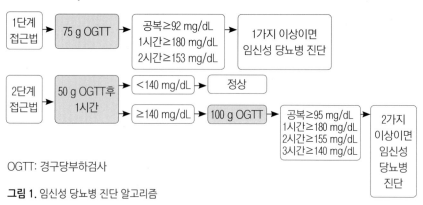

OGTT: 경구당부하검사

그림 1. 임신성 당뇨병 진단 알고리즘

참고 문헌 //

1) American Diabetes Association. Classification and Diagnosis of Diabetes: Standards of Medical Care in Diabetes—2020. Diabetes Care 43 2020;43:S14-S31.

2) 대한당뇨병학회. 당뇨병 진단 및 분류. 당뇨병진료지침. 제6판. 2019;13-7.

3) World Health Organization. Screening for type 2 diabetes. Report of a World Health Organization and International Diabetes Federation Meeting. Geneva: World Health Organization. 2003.

4) Committee of the Japan Diabetes Society on the Diagnostic Criteria of Diabetes Mellitus, Seino Y, Nanjo K, et al. Report of the committee on the classification and diagnostic criteria of diabetes mellitus. J Diabetes Investig 2010;1:212-28.

5) J Korean Med Assoc. 당뇨병의 조기진단과 검사법. 2008;51:813-7.

당화혈색소(HbA1c)

1. 검사 목적
1) 당뇨병의 진단
2) 당뇨병의 혈당 조절 상태를 파악(지난 2-3개월간의 평균 혈당치를 반영)

2. 검사 원리
1) 헤모글로빈(Hb)과 포도당이 비효소적으로 결합된 생성물을 소형 컬럼으로 분리하거나 고속 액체크로마토그래피법으로 측정한다.

2) 당화 혈색소에는 HbAla, HbAlb, HbA1c의 분획으로 나누어지나 HbA1c가 대부분을 차지한다.

3) National Glycohemoglobin Standardization Program (NGSP)에 의해 인증되고 표준화된 방법(Diabetes Controland Complication Trial (DCCT) reference assay)을 사용해야 한다.

3. 표기 방법
1) 표기하는 방법은 크게 미국의 National Glycohemoglobin Standardization Program (NGSP) 비교방법을 통한 표준화와, 유럽의 International Federation of

Clinical Chemistry (IFCC) 참고 방법을 통한 표준화로 분류한다.

2) NGSP법은 Hb을 크로마토그래피법으로 각각의 subtype (HbA1a, HbA1b, HbA1c)으로 분리하여 HbA1c를 %로 표기한다.

3) IFCC법은 Hb의 N-말단의 valine에 당이 결합된 HbA1c를 측정하여 mmol/mol 로 표기한다.

4) HbA1c 표준화 표기법은 유럽의 IFCC 수치가 중심이 되어 미국의 NGSP 환산 치와 병기하도록 하고 있다.

5) HbA1c 결과 값을 혈당 단위로 변환한 값인 ADAG (A1c-Derived average glucose) 측정치를 추가로 표기할 수 있다.

표 1. HbA1c의 표준화

1. IFCC – HbA$_{1C}$ (mmol/mol)
HbA$_{1C}$ (mmol/mol)=(10.93 × NGSP) – 23.50

2. NGSP – HbA$_{1C}$ (%)
HbA$_{1C}$ (%)=(0.09148 × IFCC) + 2.152

3. HbA$_{1C}$ – eAG (estimated Average Glucose)
eAG (mg/dL)=28.7 × HbA$_{1C}$ (%) – 46.7
eAG (mmol/L)=1.59 × HbA$_{1C}$ (%) – 2.59

표 2. HbA1c와 측정 평균 혈당 값 사이의 연관성

HbA$_{1C}$ (%)	eAG (mg/dL)	eAG (mmol/L)
5	97	5.5
6	126	7
7	154	8.6
8	183	10.2
9	212	11.8
10	240	13.4
11	269	14.9
12	298	16.5
13	326	18.1

4. 참고치

- 당뇨병의 진단
  ① 정상: 5.7% 미만

② 당뇨병 전 단계: 5.7-6.4%

③ 당뇨병: 6.5% 이상

5. 참고 사항

1) 포도당과 단백질이 비효소적으로 결합된 반응을 Maillad 반응이라고 부르며, 화학명은 당화라고한다. 당화 혈색소는 환원당의 알데하이드기와 혈색소 β-사슬의 N 말단의 발린에 포도당이 결합된 것이다.

2) 불안정(brittle)형 당뇨병에서는 HbA1c의 약 10%에서 불안정형 분획이 증가된다.

3) HbA1c의 증가는 2,3-diphosphoglycerate (2,3-DPG)의 작용을 억제하여 조직으로의 산소방출을 감소시킨다.

4) HbA1c가 혈당 상태 반영에 부정확한 경우: 적혈구 수명이 단축되는 경우(sickle cell disease, 임신(2-3기), glucose-6-phosphate dehydrogenase deficiency, 투석, 출혈, 수혈, erythropoietin 치료 중

5) 산후(postpartum), HIV 약제 복용 중 및 철분 결핍성 빈혈에서도 HbA1c 값의 정확도가 감소한다.

참고 문헌

1) American Diabetes Association. Glycemic Targets: Standards of Medical Care in Diabetes—2020. Diabetes care 2020;43:S66-S76.

2) American Diabetes Association. Classification a nd Diagnosis of Diabetes: Standards of Medical Care in Diabetes—2020. Diabetes care 2020;43:S14-S31.

3) Se-Young Kwon, Young-Ak Na. Relationship Between HbA1c and Estimated Average Glucose by Hemoglobin Concentration of Diabetic Patients. Korean J Clin Lab Sci 2011;43:171-8.

4) Little RR, Rohlfing CL, Wiedmeyer HM, et al. The National Glycohemoglobin Standardization Program: A Five-Year Progress Report. Clin Chem 2001;47:1985-92.

5) Hoelzel W, Weykamp C, Jeppsson JO, et al. IFCC Reference system for measurement of hemoglobin A1cin human blood and the national standardization schemes in the United States, Japan and Sweden: a method-comparison study. Clin Chem 2004;50:166-74.

6) The American diabetes association. European association for the study of diabetes, International federation of clinical chemistry and laboratory medicine. international diabetes federation consensus committee: Consensus statement on the worldwide standardization of

the HbA1c measurement. Diabetologia 2007;50:2042-3.

당화알부민(Glycated albumin)

1. 검사 목적
1) 지난 2-3주간의 평균 혈당 수치 반영
2) 당화 혈색소보다 식후 혈당 및 혈당 변동성 상태를 잘 반영한다.

2. 검사 원리
- 알부민과 글루코스가 비효소적 산화 반응에 의해 결합한 케토아민 구조체를 가지면서 총 알부민에 대한 글루코스와 결합한 알부민의 비율

3. 참고 사항
1) 당화 혈색소에 비하여 빈혈, 혈색소 이상, 임신에 영향을 받지 않아 용혈성 빈혈과 이상헤모글로빈혈증 등 적혈구 수명이 비정상적인 환자 및 엄격한 혈당 조절이 필요한 임신성 당뇨 환자에서 유용하다.
2) 투석을 받고 있는 만성 신부전 환자에서 당화 혈색소보다 유용하나, 심한 단백뇨를 가지고 있는 당뇨병성 신병증 환자에서는 알부민의 대사가 빨라져서 사용에 제한이 있다.
3) 치료 시작 후의 당뇨병 효과 판정, 급속하게 악화된 당뇨병 조절 평가 및 전격성 1형 당뇨병(fulminant type 1 diabetes mellitus) 환자에게 유용하다.
4) 자가 혈당 측정값과 당화 혈색소 수치의 상관도가 잘 맞지 않는 경우 유용하다.
5) 만성 간염이나 간경화와 같은 만성 간질환 환자에서 알부민 합성 감소될 경우, 반감기가 연장되어 당화알부민 수치가 혈당에 비해 높게 측정된다.

참고문헌

1) Won Jun Kim, Cheol-Young Park. Review of the Potential Glycemic Markers Glycated Albumin and 1,5-anhydroglucitol. J Korean Diabetes 2012;13:1-6.

2) Koga M, Kasayama S. Clinical impact of glycated albumin as another glycemic control marker. Endocr J 2010;57:751-62.

3) Norman Lavin. Manual of Endocrinology and Metabolism. (Lippincott Manual Series). Wolters Kluwer 5rd ed. Glycated proteins in the diagnosis and management of type I and type II diabetes mellitus. 2019;67:870-4.

1,5-Anhydroglucitol(1,5-AG)

1. 검사 목적

1) 수일 내지 수주 전의 혈당 조절 상태 반영

2) 혈당 상승을 조기에 발견

3) 혈당 변동폭 반영

2. 검사 원리

- 구조적으로 당과 유사하여 신장 근위세뇨관에서 경쟁적으로 재흡수되므로 당뇨가 진행되면 1,5-AG의 신장 배설이 증가하여 혈중농도가 감소하는 원리를 이용하여 측정한다.

3. 참고 사항

1) 적혈구의 상태에 영향을 받지 않고, 체중, 나이, 일시적인 식사 변화, 운동에 따라 측정값이 변하지 않는다.

2) 신기능 감소 환자에서 사용이 제한적이다.

참고문헌 //

1) Won Jun Kim, Cheol-Young Park. Review of the Potential Glycemic Markers Glycated Albumin and 1,5-anhydroglucitol. J Korean Diabetes 2012;13:1-6.

2) Soo Youn Lee, Seung Gyu Lee, Sun Young Kong, et al. 1,5-Anhydroglucitol as a Marker of Glycemic Control. Korean J Clin Pathol 2000;20:157-1624.

프룩토사민(Fructosamine)

1. 검사 목적
- 당뇨병의 조절 상태를 파악(지난 2-3주간의 평균 혈당치를 반영)

2. 검사 원리
- 혈청 단백과 포도당의 비효소적 결합 생성물을 비색법으로 측정한다.

3. 참고 사항
1) 프룩토사민의 60-80%는 당화알부민에서 기원한다.
2) NaF 첨가 혈장에서는 혈청에 비해 낮은 치를 보인다.
3) 측정치에 영향을 주는 요인으로 높은 치를 보이는 경우는 고빌리루빈 혈증(2 mg/dL에 약 10% 상승), 낮은 치를 보이는 경우는 혈청 단백 농도가 낮은 경우(소아기, 임신시, 신증후군 등) 급격한 실혈, 갑상선기능항진증 등이 있다.

참고문헌

1) Norman Lavin. Manual of Endocrinology and Metabolism. (Lippincott Manual Series). Wolters Kluwer 5rd ed. Glycated proteins in the diagnosis and management of type I and type II diabetes mellitus. 2019;67:870-4.

췌도 자가항체 Islet autoantibodies:

- 글루탐산탈수소효소(Glutamic Acid Decarboxylase (GAD) antibody)
- 인슐린자가항체(insulin autoantibody (IAA))
- IA-2 단백항체 / ICA-512 항체(insulinoma-associated protein 2 (IA-2) antibody / Islet cell antigen (ICA) 512 antibody)
- 아연수송체 8 자가항체(zinc transporter 8 (ZnT-8) antibody)

1. 검사 목적

1) 1형 당뇨병의 진단과 발병 예측
2) 췌도 파괴의 면역학적 진단

2. 참고 사항

1) 췌도자가항체는 새로 발병한 1형 당뇨병환자의 85% 이상에서 양성으로 나타나고, 새로 진단된 2형 당뇨병환자의 5-10%에서 양성으로 나타난다.
2) 1형 당뇨병 발병 예측 지표로 유용하고, 자가항체 양성 개수 많을수록 1형 당뇨병 발병 위험이 높다.
3) GAD 항체는 GAD65 아형(GAD65 항체)이 가장 흔하다. GAD65 항체는 새로 발병한 1형 당뇨병 환아의 70-80%에서 발견되고, 베타세포 기능이 상실되고 수년 뒤에도 존재한다. 혈장 C-펩티드 수치와 높은 관련 관련성이 있어 베타세포 기능부전의 예측과 경과관찰에 유용한 표지자로 이용된다.
4) IA-2 항체는 새로 발병한 1형 당뇨병환자의 약 60-70%에서 검출되며, 발병 나이가 증가함에 따라 검출률은 감소한다.
5) 인슐린 자가항체(IAA)는 췌도세포 자가면역의 초기 지표로, 어린 나이에서 1형 당뇨병의 예측값이 높다.
6) ZnT8 항체는 최근 발병한 1형 당뇨병환자의 약 60-80%에서 양성으로 나타난다.

참고 문헌//

1) J. Larry jameson, et al. Harrison's Principles of Internal Medicine. 20th ed. New York: Mc-Graw-Hill. 2018;2855.
2) American Diabetes Association. Classification and Diagnosis of Diabetes: Standards of Medical Care in Diabetes—2020. Diabetes Care 43 2020;43:S14-S31.
3) 대한당뇨병학회. 당뇨병 진단 및 분류. 당뇨병진료지침. 제 6판. 2019;13-7.

알부민뇨(Albuminuria)

1. 검사 목적
- 당뇨병성 신증의 진단 및 진행을 평가

2. 알부민뇨(albuminuria)의 정의
1) 24시간 소변에서 30 mg 이상의 알부민 배출
2) 무작위뇨(random urine)에서 소변 알부민/크레아티닌비 측정치가 30 mg/g 이상 (UACR: urine albumin to creatinine ratio)

3. 검사 방법
1) 무작위뇨에서 알부민: 크레아티닌 비
2) 24시간 소변 측정, 청소율 동시 측정
3) 일정시간 수변 수집(4시간 혹은 밤사이)

4. 참고 사항
1) 1형 당뇨병 환자에서는 진단 이후 5년 후부터 검사하기 시작하며, 2형 당뇨병 환자는 진단되는 즉시 검사해야 한다. 또한, 알부민뇨의 진단에서 중요한 점은 반복하여 알부민 배설량을 측정하는 것이다. 이것은 요중 알부민 배설량이 날짜에 따라 변동이 있으므로, 3-6개월 간격으로 3번 검사하여 2번 이상 검출되었을 때 진단할 수 있다.
2) 염증, 발열, 24시간 이내 운동, 심부전, 심한 고혈당이나 고혈압은 신손상 여부와 상관 없이 알부민뇨를 유발시킬 수 있다.

참고 문헌 //

1) American Diabetes Association. Microvascular Complications and Foot Care: Standards of Medical Care in Diabetes-2020. Diabetes care 2020;43:S135-51.
2) 대한당뇨병학회. 당뇨병성 신증. 당뇨병 진료지침. 제 6판. 2019;117-21.

HOMA (Homeostasis model assessment)
QUICKI (Quantitative insulin sensitivity check index)

1. 검사 목적

- 인슐린저항성(HOMA-IR, QUICKI), 인슐린분비능(HOMA-β) 검사

2. 검사 방법

1) HOMA-IR = [fasting insulin (mU/L) × fasting glucose (mmol/L)]/22.5

2) HOMA β-cell function = [20 × fasting insulin (mU/L)]/[fasting glucose (mmol/L)-3.5]

3) QUICKI = 1/[log fasting insulin (mU/L) +log fasting glucose (mg/dL)]

3. 참고 사항

1) 높은 HOMA-IR은 높은 인슐린 저항성을 나타낸다.

2) 높은 HOMA β-cell function은 높은 인슐린분비능을 나타낸다.

3) 높은 QUICKI는 낮은 인슐린 저항성을 나타낸다.

참고 문헌

1) Bonora E, Targher G, Alberiche M, et al. Homeostasis model assessment closely mirrors the glucose clamp technique in the assessment of insulin sensitivity: studies in subjects with various degrees of glucose tolerance and insulin sensitivity. Diabetes care 2000;23:57-63.

2) Katz A, Nambi SS, Mather K, et al. Quantitative insulin sensitivity check index: a simple, accurate method for assessing insulin sensitivity in humans. J Clin Endocrinol Metab 2000;85:2402-10.

인슐린분비자극검사(Insulin secretion stimulating test)

1. 검사 목적
- 인슐린분비능 검사

2. 검사 방법
1) 공복상태에서 검사
2) 혈당, 인슐린, C-펩티드의 기처치를 위한 채혈
3) 인슐린 및 C-펩티드 분비를 자극하기 위한 방법
   ① 포도당 75 g 경구투여 30, 60, 90, 120분 후 혈당과 인슐린 측정
   ② 글루카곤 1 mg 정맥 투여 6분 후 혈당, 인슐린, C-펩티드 측정
   ③ 표준식사 2시간 후 혈당, 인슐린, C-펩티드 측정

3. 참고 사항
1) 여러 연구에서 공복혈청 C-펩티드 0.6 ng/mL (0.2 nmol/L) 미만인 경우 1형 당뇨병으로, 1.0-1.2 ng/mL (0.33-0.4 nmol/L) 이상인 경우 2형 당뇨병으로 분류하였다.
2) 분비 자극 전후 C-펩티드의 차가 0.6 ng/mL (0.2 nmol/L) 미만이면 인슐린치료가 필요한 경우가 대부분이다.
3) Insulinogenic index (30') = (ins30' − ins0')/(glu30' − glu0')
   - 포도당 부하 30분 후 혈당(mg/dL) 증가폭에 대한 인슐린(μU/mL)의 증가폭의 비
4) Insulinogenic index (120') = △AUCins/△AUCglu (AUC; area under the curve)

참고 문헌

1) Vague P, Nguyen L. Rationale and methods for the estimation of insulin secretion in a given patient. Diabetes 2001;51:S240-4.
2) Albareda M, Rodriguez-Espinosa J, Murugo M, et al. Assessment of insulin sensitivity and beta-cell function form measurements in the fasting state and during an oral glucose tolerance test. Diabetologia 2000;43:1507-11.

3) Seltzer HS, Allen EW, Herron AL Jr, et al. Insulin secretion in response to glycemic stimulus: Relation of delayed initial release to carbohydrate intolerance in mild diabetes mellitus. J Clin Invest 1967;46:323-34.

4) Drivsholm T, Hansen T, Urhammer SA, et al. Assessment of insulin-sensitivity and beta cell function from an oral glucose tolerance test. Diabetolgia 2000;43:1507-11.

5) Leighton E, Sainsbury CA, Jones GC. A Practical Review of C-Peptide Testing in Diabetes. Diabetes Ther 2017;8:475-87.

6) 대한당뇨병학회. 당뇨병 진단 및 분류. 당뇨병 진료지침. 제 6판. 2019;13-7.

인슐린잠금법(Insulin clamp test)

1. 검사 목적
- 인슐린저항성 검사

2. 검사 원리
- 외부에서 인슐린을 투여하여 혈중 인슐린 농도를 올려주면 체내 포도당 이용률은 증가하고 간에서 포도당 생성률은 하강하여 혈당이 떨어진다. 이때 외부에서 포도당을 투여하여 포도당 이용률과 포도당 생성률의 차이를 보충해주면 혈당이 일정하게 유지된다. 만약 혈중 인슐린을 충분히 높여(hyperinsulinemic)주면 간의 포도당 생성률이 완전히 억제되어 체내 포도당 생성률은 포도당 주입량과 동일하게 되므로 체내 포도당 생성률을 측정하여 인슐린에 대한 감수성을 평가할 수 있다.

3. 검사 방법
1) 검사자의 준비사항
   ① 식사: 검사 3일 전부터 탄수화물 200 g 이상을 함유하는 식사를 섭취하도록 한다.
   ② 포도당 이용률에 영향을 미칠 수 있는 약제 또는 다른 질환의 유무를 확인한다.
   ③ 약 12시간 정도 금식을 유지하고, 검사는 아침 8시경 시작한다.
   ④ 한쪽 팔에 인슐린과 포도당을 주입하기 위해 3-way가 연결된 정맥 삽입관을

상박정맥에 삽입한다.

⑤ 반대편 팔에는 채혈을 위해 3-way가 연결된 역행(retrograde) 정맥 삽입관을
   정맥에 삽입한다. 동맥혈화한(arterialized) 혈액을 채취하기 위해 혈액을 채취
   할 팔은 60-70℃로 따뜻하게 한다.

2) 인슐린의 주입

① 혈장 인슐린 농도를 약 100 uU/mL 정도로 유지한다.

② 생리식염수(0.9% NaCl)에 인슐린을 혼합하여 10분간 priming한 후 40 mU/
   m^2/min 속도로 110분 동안 주입한다.

Insulin prime during euglycemic insulin clamp

Time (min)	Insulin infusion rate (mU/m^2/min)
0-1	127.6
1-2	113.6
2-3	101.2
3-4	90.2
4-5	80.2
5-6	71.4
6-7	63.6
7-8	56.8
7-8	56.8
8-9	50.4
9-10	45.0
10-120	40.0

③ 인슐린은 속효성 인슐린을 사용하고 300 mU/mL 정도 되도록 희석한다.

④ 인슐린이 유리기구나 플라스틱 표면에 달라붙는 것을 방지하기 위해 50 mL
   당 2 mL의 환자의 피를 섞는다.

3) 포도당의 주입

① 목표 혈당은 90 mg/dL로 설정한다.

② 포도당 주입은 인슐린 주입 시작 후 약 4분 후부터 시작한다.

③ 포도당의 주입속도는 계산식에 의해 조절한다. 계산에 의해 주입속도가 구해
   지기 전까지는 경험적으로 2.0 mg/kg/min으로 시작한다. 10분째는 2.5 mg/

166

kg/min으로 증량한다.

④ 매 5-10분 간격으로 채혈하고, 채혈한 혈액은 즉시 혈청을 분리하여 포도당을 측정하고 나머지 혈청은 냉동하였다가 인슐린을 측정한다.

⑤ 인슐린과 포도당을 총 24회 측정한다.

⑥ 계산식을 이용하여 M-값(glucose metabolism rate, mg/kg/min)을 계산한다.

4. 결과 판정

1) M: 체내 포도당 이용률(glucose metabolism rate, mg/kg/min)

= 포도당 주입률 - 소변 포도당 소실량 - 공간교정

소변 포도당 소실량; '0'로 가정

공간교정(space correction); $\dfrac{[\text{후기혈당(mg/dL)} - \text{전기혈당}] \times 10 \times [0.19 \times \text{체중(kg)}]}{20 \times \text{체중}}$

전기혈당과 후기혈당은 20분부터 20분 간격으로 측정한 전후 혈당을 사용한다. M 값은 보통 검사 시작 20분부터 120분까지 20분 간격으로 5개의 M 값의 평균을 뜻하나 일반적으로 안정상태가 최적인 100-120분 사이의 값을 많이 사용한다.

2) M/I ratio (I; plasma insulin concentration)

5. 참고 사항

1) 인슐린저항성을 진단하는 가장 정확한 표준방법이다.

2) 정맥에서 혈액을 채취할 때 따뜻하게 하지 않으면 인슐린을 투여 시 조직의 포도당 섭취가 증가하여 정맥의 포도당 농도가 동맥에 비해 의미있게 감소하게 되므로 정맥 포도당 농도를 기준으로 인슐린을 투여할 경우 동맥의 포도당 농도는 과다하게 증가하여 피검자의 내인성 인슐린분비가 자극받아 검사에 영향을 미칠 수 있다.

참고 문헌//

1) DeFronzo RA, Tobin JD, Andres R. Glucose clamp technique: A method for quantifying insulin secretion and resistance. Am J Physiol 1979;237:E214-23.
2) 장연진. 인슐린 감수성의 측정방법. 당뇨병. 1991;15:23-33.

다빈도혈액채취 정맥포도당부하검사
(Frequently sampled intravenous glucose tolerance test, FSIVGTT)

1. 검사 목적
- 인슐린저항성 검사

2. 검사 방법
1) 피검자는 금식 상태로 준비
2) 한쪽 팔에 인슐린과 포도당을 주입하기 위해 정맥 삽입관을 삽입하고 반대편 팔에는 채혈을 위한 역행 정맥 삽입관을 삽입한다. 동맥혈화한(arterialized) 혈액을 채취하기 위해 혈액을 채취할 팔은 40℃로 따뜻하게 한다.
3) 혈당과 인슐린의 기저치 측정을 위한 채혈을 한다.
4) 0분에 300 mg/kg의 포도당을 1분에 걸쳐 주입한다.
5) 2, 3, 4, 5, 6, 8, 19, 22, 30, 40, 50, 70, 100, 180분에 혈당과 인슐린 측정을 위한 채혈을 한다.
6) 20분째에 인슐린(0.04 U/kg/min over 5 min)을 주입하면 검사의 민감도를 높일 수 있다(modified FSIVGTT).

3. 참고 사항
1) 포도당 bolus 주입 전후 혈당과 인슐린 농도에 대한 데이터를 가지고 간접적으로 인슐린 저항성을 평가한다.
2) 여러 지표를 평가하기 위하여 minimal model analysis가 필요하며, MINMOD 같은 software package를 사용할 수 있다.
   - Insulin sensitivity index (S_I)
   - Glucose effectiveness (S_G)
   - β-cell activity (β-cell)
   - Acute insulin response (AIR)
   - Disposition index (DI) = S_I * AIR

참고 문헌 //

1) Bergman RN, Prager R, Volund A, et al. Equivalence of the insulin sensitivity index in man derived by the minimal model method and the euglycemic glucose clamp. The Journal of clinical investigation 1987;79:790-800.

2) Bergman RN, Phillips LS, Cobelli C. Physiologic evaluation of factors controlling glucose tolerance in man: measurement of insulin sensitivity and beta-cell glucose sensitivity from the response to intravenous glucose. The Journal of clinical investigation 1981;68:1456-67.

3) 이혜진. 인슐린 저항성의 측정 방법. J Korean Diabetes 2014;15:7-11.

K_{ITT}(K index of the short insulin tolerance test)

1. 검사 목적
- 인슐린저항성 검사

2. 검사 방법

1) 한쪽 수부정맥에 20 G 카테터를 역방향으로 삽입하고 3-way를 이용하여 채혈에 이용하고 생리식염수를 서서히 정주하여 혈관이 막히는 것을 방지한다.

2) 반대편 전박정맥에는 20 G 카테터를 정방향으로 삽입하고 인슐린 주사 및 검사 종료 후 포도당을 정주하는데 사용한다.

3) 안정된 상태에서 미리 100배로 희석해 놓은 속효성 인슐린 0.1 U/kg 용량으로 전박정맥에 주입 후 반대편 수부정맥에서 0, 3, 6, 9, 12, 15분 후의 포도당을 측정한다.

4) 저혈당을 막기 위해 15분 채혈 후 곧바로 20% 포도당 100 mL를 정주하며 혈액은 곧바로 원심분리하여 포도당 농도를 측정한다.
   - K_{ITT} (%) = (0.693/ $T_{1/2}$) × 100
   - $t_{1/2}$: half-life of plasma glucose decay

3. 참고 사항

1) 12시간 공복상태에서 시행한다.

2) 낮은 K_{ITT} (insulin-sensitivity index)는 인슐린 저항성이 높음을 나타낸다.

참고 문헌///

1) 박석원, 윤용석, 안철우, 등. 인슐린저항성의 평가에 있어서 단시간 인슐린 내성검사의 유용성-정상혈당 클램프 검사와 비교. 당뇨병 1998;22:199-208.

2) Bonora E, Moghetti P, Zancanaro C, et al. Estimates of in vivo insulin action in man: comparison of insulin tolerance tests with euglycemic and hyperglycemic glucose clamp studies. J Clin Endocrinol Metab 1989;68:374‒8.

지속성 금식검사(Prolonged starvation test)

1. 검사 목적
- 저혈당 원인 감별

2. 검사 방법
1) 마지막 칼로리 섭취 시간을 기록한다.
2) 물만 마시는 상태로 72시간 동안 금식하면서 혈당, 인슐린, C-펩티드를 측정한다.
3) 혈당이 60 mg/dL가 될 때까지는 6시간마다 채혈하고, 60 mg/dL 미만이 되면 1-2시간마다 채혈한다.
4) 금식의 종료시점:
   ① 혈당 <45 mg/dL
   ② 저혈당 증상이 있고, 혈당 <55 mg/dL
   ③ 72시간 경과
5) 금식검사 종료 시 시행할 검사들: 혈당, 인슐린, C-펩티드

3. 주의 사항
1) 환자들이 검사 기간 동안에 병동에서 벗어나지 않도록 하고, 밤사이 저혈당을 일으키면 특히 위험하므로 충분히 감시하에 검사를 시행해야 한다.
2) 심한 저혈당 증상으로 응급조치가 필요하다고 판단되면, 채혈 후 즉시 포도당을

투여한다.

4. 참고 사항

- 인슐린종의 75%에서 24시간 내에 저혈당이 발생하며, 98%에서는 48시간 내에 저혈당이 발생한다.

표. 저혈당 감별 진단

Symptoms, signs	Plasma glucose (mg/dL)	Insulin (µIU/mL)	C-peptide (ng/mL)	Antibody to insulin	Diagnosis
No	〈55	〈3	〈0.6	–	Normal
Yes	〈55	≫3	〈0.6	– (+)	Exogenous insulin
Yes	〈55	≥3	≥0.6	–	Insulinoma NIPHS, PGBH
Yes	〈55	≫3[a]	≫0.6[a]	+	Insulin autoimmune
Yes	〈55	〈3	〈0.6	–	IGF[b]

NIPHS; non-insulinoma pancreatogenous hypoglycemia, PGBH; post gastric bypass hypoglycemia, IGF; insulin like growth factor
[a] free C-peptide and proinsulin concentration are low.
[b] increased pro-IGF-II, free IGF-II, IGF-II/IGF-I ratio

참고 문헌//

1) Ahmet Bahadir Ergin, A. Laurence Kennedy, Manjula K. Gupta, et al. Seventy-Two Hours Fast for Insulinoma. The Cleveland Clinic Manual of Dynamic Endocrine Testing, Switzerland. Springer International Publishing 2015;93-6.

2) Cryer PE, Axelrod L, Grossman AB, et al. Evaluation and management of adult hypoglycemic disorders: an Endocrine Society Clinical Practice Guideline. J Clin Endocrinol Metab 2009;94:709-28.

식사 부하 검사(Mixed Meal Tolerance Test)

1. 검사 목적
- 식후 저혈당 진단

2. 검사 방법
1) 8시간 이상 금식 후 검사를 시행한다.
2) 표준식사를 섭취한다(표준식사 예시: 470 kcal; 66% carbohydrate, 18% fat, and 16% protein).
3) 표준 식사 섭취 후, 30분 간격으로 5시간 동안 혈당을 측정하여 글루코미터 측정 혈당 < 60 mg/dl이면, 혈당, 인슐린, C-펩티드 측정을 위한 채혈을 시행한다.
4) 만약 환자가 심한 증상을 호소하여 검사를 종료해야 한다면, 탄수화물 섭취 전에 혈당, 인슐린, C-펩티드 검체를 채혈한다.
5) 탄수화물 섭취 후 증상 호전 여부를 확인한다(Whipple's triad 만족 여부 확인).

3. 결과 해석
- 표준식사 섭취 후 혈장 포도당 농도가 55 mg/dL 미만일 때 측정된 인슐린 ≥3 μIU/mL, C-펩티드 ≥0.6 ng/mL 이면 식후 저혈당 진단 가능하다.

참고 문헌

1) Cryer PE, Axelrod L, Grossman AB, et al. Evaluation and management of adult hypoglycemic disorders: An endocrine society clinical practice guideline. J Clin Endocrinol Metab 2009;94:709-28.
2) Shankar SS, Vella A, Raymond RH, et al. Standardized Mixed-Meal Tolerance and Arginine Stimulation Tests Provide Reproducible and Complementary Measures of β-Cell Function: Results From the Foundation for the National Institutes of Health Biomarkers Consortium Investigative Series. Diabetes Care 2016;39:1602-13.
3) Ahmet Bahadir Ergin, A. Laurence Kennedy, Manjula K. Gupta, et al. Mixed Meal Hypoglycemia Test. The Cleveland Clinic Manual of Dynamic Endocrine Testing. Switzerland: Springer International Publishing. 2015;105-8.

선택적 동맥혈 칼슘 자극 검사
(Selective intra-arterial calcium stimulation test)

1. 검사 목적
- 고인슐린 저혈당(hyperinsulinemic hypoglycemia) 환자에서 인슐린종(insulinoma), 췌소도세포증(nesidioblastosis) 의심 시, 췌장에서 병소의 위치를 확인하기 위하여 시행

2. 검사 방법
1) 오전 검사 시 자정부터 금식하고, 오후 검사 시 아침 식사 후 금식한다.
2) 저혈당 발생 위험을 고려하여 왼쪽 팔에 10% 포도당 수액 유지, 2시간마다 혈당 측정한다.
3) 우측 내경정맥(Rt. internal jugular vein) 또는 우측 대퇴정맥(Rt. femoral vein)을 천자하여 혈액 샘플용 카테터를 삽입하여 카테터 끝을 우측 간정맥(Rt. hepatic vein)과 하대정맥(inferior vena cava)의 접합부(junction)에 위치시킨다.
4) 우측 대퇴동맥(Rt. femoral artery)을 천자하여 위십이지장동맥(gastroduodenal artery, GDA), 비장동맥(splenic artery, SpA), 상장간막동맥(superior mesenteric artery, SMA)에 칼슘 주입용 카테터 삽입한다.
5) 칼슘 시약(calcium gluconate 0.025 mEq/kg을 생리식염수(normal saline) 5 mL에 희석)을 주입하고, 칼슘 주입 전(0초), 주입 30, 60, 120초에 간정맥(hepatic vein)에서 채혈한다.
6) 각 부위의 칼슘 주입 시간은 적어도 5분 이상의 간격을 둔다.
7) 각각의 샘플에서 인슐린을 측정한다.
8) 대퇴 정맥 및 동맥을 천자하므로 5시간 동안 절대 안정을 취한다.

3. 결과 해석
0초에 비하여 30-120초 사이에 2배 이상 인슐린 수치가 증가하면 양성
1) 위십이지장동맥
- 상위 췌장 두부 및 경부(superior pancreatic head or pancreatic neck)에 병변

173

2) 상장간동맥
- 하위 췌장 두부 및 갈고리돌기(inferior pancreatic head or uncinate process) 병변

3) 비장동맥
- 췌장 체부 및 미부(pancreatic body or tail) 병변

참고 문헌 //

1) Brändle M, Pfammatter T, Spinas GA, et al. Assessment of selective arterial calcium stimulation and hepatic venous sampling to localize insulin-secreting tumours. Clinical Endocrinology 2001;55:357-62.

2) Jackson JE. Angiography and arterial stimulation venous sampling in the localization of pancreatic neuroendocrine tumours. Best Pract Res Clin Endocrinol Metab 2005;19:229-39.

CHAPTER **8**

부갑상선 호르몬과 골대사

부갑상선 호르몬

1. 검사 목적

1) 부갑상선기능 이상의 진단
2) 고칼슘혈증의 감별진단

2. 참고치

- 8-51 pg/mL

표 1-1. 부갑상선호르몬농도와 칼슘치를 이용한 감별 진단

	부갑상선호르몬 증가	부갑상선호르몬 감소
칼슘 증가	일차성 부갑상선기능항진증	악성종양 비타민 D 중독증
칼슘 저하	이차성 부갑상선기능항진증 위성 부갑상선기능저하증	특발성 부갑상선기능저하증 수술후 부갑상선기능저하증 저마그네슘혈증

3. 검체의 채취와 취급

- 아침공복 시 혈청 혹은 EDTA 혈장

4. 측정치에 영향을 주는 요인

1) 부갑상선호르몬은 박동적으로 분비되며 1회 검사에 의해 이상치를 발견하지 못하는 경우가 있다.
2) 일중 변동: 부갑상선호르몬(1-84)은 저녁(16-19시)과 새벽(2-6시)에 최고치에 도달한다.
3) 식사: 다량의 칼슘이나 인 섭취에 의한 영향은 적다.
4) 약제: 비타민 D, 칼시토닌, 대량의 인산, 당류코르티코이드, 리치움, 알루미늄, 글루카곤 등에 영향을 받는다.
5) 운동, 체위: 큰 영향 없다.
6) 연령: 연령 증가에 따라 증가한다.

5. 참고 사항

1) 부갑상선호르몬은 비타민 D와 함께 세포외액의 칼슘 농도를 결정하는 중요한 호르몬이다. 부갑상선에서 전구체 형태(preproparathyroid hormone, 115 아미노산)로 생산되며, 부갑상선 내에서 25개의 아미노산이 절단된 후 전구호르몬(prohormone)이 되고 이어 6개의 아미노말단이 제거되어 활성-부갑상선호르몬(intact-PTH, 1-84) 형태로 분비된다. 부갑상선호르몬의 생물학적 활성은 아미노말단(amino-terminal fragment)의 1-34 분절에만 있으며 중간부위(middle-)와 카르복시말단(carboxy-terminal fragment)에는 생물학적 활성이 없다. 간과 신장에서 부갑상선호르몬(1-84)의 말초대사(proteolysis)가 이루어지며 이때 카르복시말단이 생산된다. 신장에서는 또한 카르복시말단의 제거가 이루어진다. 부갑상선에서 주로 분비되는 호르몬의 형태는 부갑상선호르몬(1-84)이지만 고칼슘혈증 상황에서는 부갑상선세포 내 절단과정을 거쳐 카르복시말단이 같이 분비될 수 있다. 혈중에 아미노말단 형태의 호르몬이 존재하는지는 확실하지 않으며 체내에 순환하는 주요 형태는 부갑상선호르몬(1-84)과 카르복시말단이다.

2) 활성이 없는 중간부위와 카르복시말단은 신장에서 제거되기 때문에 이들 부위에 선택적인 항체를 이용한 방사면역검사법으로는 신부전의 경우 호르몬 농도가 과다하게 측정될 수 있다. 또한 고칼슘혈증 상황에서 부갑상선에서 과다하게 분비되는 카르복시말단에 의하여 호르몬 농도가 높게 측정될 수 있다. 따라서 현재는 아미노말단 및 카르복시말단에 각각 따로 결합하는 항체들을 이용한 양방향 면역방사계측법(two-site immunoradiometric assay)을 이용하여 부갑상선호르몬(1-84)을 측정한다. 이 검사는 신기능과 무관하게 부갑상선호르몬 농도를 정확히 측정할 수 있으며, 부갑상선호르몬 의존성 혹은 비의존성 고칼슘혈증의 변별에 유용하게 이용할 수 있다.

3) 최근에는 생리적 상황 혹은 신부전 모두에서 부갑상선호르몬(7-84)이 존재한다고 알려져 있으며 이는 기존의 양방향 면역방사계측법으로 함께 검출되어 신부전 상황에서 부갑상선호르몬 농도가 실제보다 높게 측정될 수 있다고 보고되고 있다. 전체 부갑상선호르몬(1-84)를 선택적으로 검출할 수 있는 양방향 면역방사계측법이 활발하게 연구되고 있다.

참고문헌 //

1) J. Larry jameson, et al. Harrison's Principles of Internal Medicine. 20th ed. New York: Mc-Graw-Hill. 2018;403.

비타민 D (Vitamin D)

1. 검사 목적
1) 비타민 D 결핍의 진단
2) 구루병의 감별진단
3) 고칼슘혈증의 감별진단

2. 참고치
- 25(OH)D: 30-100 ng/mL, 75-250 nmol/L

3. 검체의 채취와 취급
- 검사방법: 혈청 방사면역측정법

4. 측정치에 영향을 주는 요인
1) 연령: 고령자에서 저하
2) 임신: 후기에는 $1,25(OH)_2D$가 증가

5. 참고 사항
1) 비타민 D는 식물성 비타민 D인 비타민 D2 (ergocalciferol)와 동물성인 비타민 D3 (cholecalciferol)로 나뉜다. 두 가지 비타민의 생물학적 역가는 동등하며 비타민 D 수산화 효소에 의한 수산화 과정에도 차이가 없다. 음식물로부터 섭취되는 비타민 D는 D2 혹은 D3형태이며 음식물로부터 유래되는 비타민 D는 적은 것으로 알려져 있다. 피부에서는 자외선에 의해 7-dehydrocholesterol부터 광화학적 절단(photochemical cleavage) 과정을 거쳐 비타민 D3가 만들어진다. 혈중으

로 들어온 D2나 D3는 간에서 25-수산화과정을 거치는데, 이 과정의 사이토크롬 P450 유사효소는 되먹임 조절 작용을 받지 않으며 결과 산물인 25(OH)D는 순환 및 저장되는 주요 비타민 D이다. 약 88%의 25(OH)D가 비타민 D 결합단백에 결합되어 있으며, 0.03%가 자유형이고 나머지는 알부민에 결합되어 순환한다. 25(OH)D의 반감기는 약 2-3주이지만 신증후군과 같이 비타민 D 결합단백이 감소하는 경우에는 반감기가 급격히 감소한다. 25(OH)D는 신장의 근위세뇨관 세포의 1α-수산화효소에 의해 생리학적으로 가장 활성이 강한 $1,25(OH)_2D$로 변환된다. 신장의 1α-수산화효소는 부갑상선호르몬에 의해 자극되며, 칼슘과 $1,25(OH)_2D$에 의해 억제된다. $1,25(OH)_2D$의 혈중 반감기는 3-6시간이다. 유육종증이나 림프종의 경우에도 1α-수산화효소를 발현하는 경우가 있으며 효소의 활성도가 부갑상선호르몬, 칼슘 혹은 $1,25(OH)_2D$에 의해 조절되지 않으며 지속적으로 높아진 $1,25(OH)_2D$에 의해 고칼슘혈증이 유발된다.

2) 혈중 25(OH)D농도는 체내 비타민 D 영양상태 및 비타민 D 치료효과 판정의 좋은 지표이다. 일광의 부족, 비타민 D 섭취의 부족, 지방 흡수불량 및 비타민 D 대사물의 간에서의 분해증가에 의해 25(OH)D의 농도가 낮아진다. 신장에서의 $1,25(OH)_2D$ 합성은 부갑상선호르몬에 의해 미세하게 조절되며 비타민 D중독이나 높은 혈중 25(OH)D농도에서도 정상 농도를 유지한다. $1,25(OH)_2D$ 농도의 진단적 가치는 제한적이어서 유육종증이나 다른 육아종성 질환의 경우에 높아지며 X-염색체 관련 저인산혈증의 경우에 낮은 수치를 보인다.

3) 비타민 D 결핍이 의심되면 혈청 25(OH)D 측정을 권하며 골다공증 예방을 위해서는 20 ng/mL 이상, 골다공증 치료와 골절 예방을 위해서는 30 ng/mL 이상을 유지하는 것이 좋다.

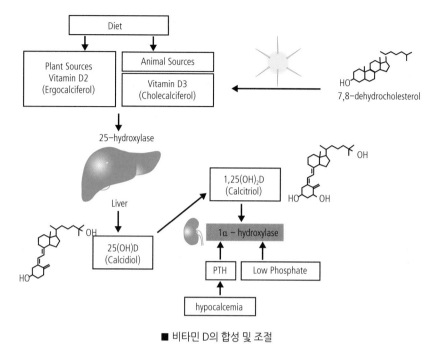

■ 비타민 D의 합성 및 조절

참고문헌 //

1) J. Larry jameson, et al. Harrison's Principles of Internal Medicine. 20th ed. New York: Mc-Graw-Hill. 2018;402.
2) 대한골대사학회. 골다공증 진료지침. 2019.

신세뇨관 인산 재흡수율

1. 검사 목적
- 부갑상선 기능상태의 진단

2. 참고치
- % TRP(세뇨관 인산 재흡수율): 80-90%

3. 검사 방법

- 공복에 2시간 소변을 채취하고, 중간점에 채혈하여 각각 크레아티닌과 인을 검사한다.
- Fractional excretion of phosphate (FEp) = Up $\times$ Pcr / Pp $\times$ Ucr
- %TRP = (1-FEp) $\times$ 100

4. 참고 사항

- 부갑상선호르몬은 신장의 근위세뇨관에서 1α-수산화효소 활성을 증가시켜서 활성 비타민 D의 합성을 증가시키며 원위부에서는 칼슘의 재흡수를 촉진한다. 또한 근위 및 원위 세뇨관에서 sodium-dependent phosphate co-transporter (NPT-2)를 억제하여 인의 배설을 촉진한다. 정상적으로 신장의 사구체에서 여과된 인의 80-90%가 근위세뇨관에서 재흡수된다. 부갑상선호르몬은 이러한 재흡수과정을 억제한다. 식이로 섭취되는 인이 많아질 경우 일시적으로 혈중의 인이 증가하며 동시에 칼슘-인의 골 침착이 많아져서 혈중 이온 칼슘이 감소한다. 이것을 매개로 하여 부갑상선호르몬의 분비가 증가하고 인의 신장 배설량이 증가하게 된다. 부갑상선호르몬 과다상태에서는 신세뇨관 인산 재흡수율이 감소하며 반대로 부족상태에서는 재흡수율이 증가한다. 부갑상선호르몬의 측정이 정확하지 않은 과거에는 유용한 지표로 이용되었으나 현재는 측정가치가 크지 않다.

참고문헌 ///

1) J. Larry jameson, et al. Harrison's Principles of Internal Medicine. 20th ed. New York; McGraw-Hill. 2018;402.
2) Bilezikian, et al. Primer on the metabolic bone diseases and disorders of mineral metabolism. 8th ed. Blackwell Pub. 2018;740.

신원성 cAMP

1. 검사 목적

- 부갑상선호르몬 분비이상의 선별검사

2. 참고치

- 0.3-3.4 nmol cAMP/100 mL GFR

3. 검사 방법

1) 아침 2시간 소변을 모아서 칼슘, % TRP를 같이 계산한다.
2) 소변 중의 세균에 의해 cAMP가 분해되므로 소변은 EDTA를 첨가하여 채취한다.
3) 신원성 cAMP (nephrogenous cAMP)
   = [(요중 총cAMP (nmol/mL) × 혈청크레아티닌(mg/dL) ÷ 요중크레아티닌(mg/dL)) × 100] - [혈장 cAMP (nmol/mL) × 100]

표 1-2. 신원성 cAMP 이상치의 해석

증가	저하
일차 부갑상선기능항진증 속발성 부갑상선기능항진증 악성종양의 체액성 고칼슘혈증	특발성 부갑상선기능저하증 수술후 부갑상선기능저하증 위성 부갑상선기능저하증 비타민 D 중독증 유육종증

4. 측정에 영향을 주는 요인

1) 운동, 체위: 심한 운동에 의해 혈장 cAMP가 증가한다.
2) 연령: 혈청 칼슘의 변화를 반영하며 23세 이하에서는 낮은 수치, 60세 이상에서 높은 수치를 보인다.
3) 신기능: 사구체여과율 40 mL/min 이하에서 부갑상선 기능과의 관련이 적다. 소변량이 적은 경우에도 오차가 있으므로 검사전에 200 mL 정도의 물을 마신 후 2시간 소변이 100 mL 이상이 되도록 한다.

5. 참고 사항

- 크레아티닌 청소율로 보정한 신원성 cAMP의 측정은 부갑상선호르몬의 유용한 생물학적 측정법(bioassay)이다. 신원성 cAMP는 일차성 부갑상선기능항진증에서 증가하며 부갑상선기능저하증에서는 감소한다. 부갑상선기능항진증의 치료로 부갑상선절제술을 시행한 한 시간 후에도 감소할 정도로 예민한 지표이다. 또

한 종양에서 유래한 부갑상선호르몬 관련 단백의 증가 시에도 신원성 cAMP가
증가한다.

참고문헌 //

1) Chernecky, et al. Laboratory Tests and Diagnostic Procedures. 5th ed. Churchill and Livingstone: Elsevier Science Health Science. 2007;413-5.

2) Bilezikian, et al. Primer on the metabolic bone diseases and disorders of mineral metabolism. 8th ed. Blackwell Pub. 2018;74.

Ellsworth-Howard 검사

1. 검사 목적
1) 특발성 부갑상선기능저하증과 가성 부갑상선기능저하증의 감별진단
2) 가성 부갑상선기능저하증의 병형 진단

2. 검사 방법
1) 검사 당일 물 이외에는 금식해야 하며 오전 6시부터 정오까지 매시간마다 250 mL 의 물을 마신다.

2) 도뇨관을 삽입하여 오전 8시에서 8시 30분, 8시 30분에서 9시까지 2개의 소변을 모은다(control).

3) 오전 9시에 완전 배뇨한 후 새로운 소변백을 연결하고 나서 합성 부갑상선호르몬 1-34 (FORTEO®) 0.625 µg/kg 또는 최대 25 µg을 15분 이상 정맥주사하거나 40 µg을 피하주사한다.

4) 오전 9시에서 9시 30분, 9시 30분에서 10시, 10시에서 11시, 11시에서 12시 사이에 소변을 4번 모은다.

5) 오전 9시와 11시에 채혈하여 인산, 크레아티닌을 측정한다.

6) 소변에서는 cAMP, 인산, 크레아티닌 농도를 측정하여 nmol cAMP/100 mL GFR과 TmP/GFR (ratio of the renal tubular maximum rate of phosphate reabsorption to the GFR)로 결과값을 표시한다.

① TRP ≤0.86 이면 TmP/GFR = TRP × serum phosphate

② TRP >0.86 이면

$$TmP/GFR = \alpha \times serum\ phosphate,\ where\ \alpha = \frac{0.3 \times TRP}{1-(0.8 \times TRP)}$$

3. 판정 기준

1) 정상반응

　① cAMP반응: 소변 cAMP가 10-20배 증가

　② 인산반응: TmP/GFR이 20-30% 감소

　③ 특발성 부갑상선기능저하증에서는 정상반응

2) 저반응 혹은 무반응: 가성부갑상선기능저하증

　① 인산반응, cAMP 반응에 이상: I형

　② 인산반응에만 이상: II형

4. 참고 사항

1) 부갑상선호르몬수용체 이상에 의한 가성부갑상선기능저하증에서는 부갑상선호르몬 투여에 의한 호르몬 효과가 없어 특발성 부갑상선기능저하증과 감별할 수 있다.

2) 부갑상선호르몬은 세뇨관 세포막의 부갑상선호르몬수용체에 결합하여 세포 내 cAMP를 증가시키며, 그 이후의 세포 내 정보전달계를 활성화시켜, 최종적으로 인산의 배설을 일으킨다. 이 단계의 이상에 따라 병형을 분류한다. I형은 cAMP 반응 단계의 장애가 수용체와 아데닐사이클레이즈(adenyl cylase) 사이에 존재하는 G단백의 이상 유무에 따라 Ia형과 Ib형으로 나눈다. II형에서 cAMP 반응은 정상이나 인산의 배설에 이상이 있다.

3) 인 배설에는 일중 변동이 있으므로 검사시간을 정확히 지키는 것이 중요하다.

4) 부갑상선호르몬에 의해 일시적인 안면홍조, 요의를 느낄 수 있다.

참고문헌

1) Bilezikian, et al. Primer on the metabolic bone diseases and disorders of mineral metabolism. 8th ed. Blackwell Pub. 2018;72:588.

2) Renal tubular reabsorption of phosphate (TmP/GFR): indications and interpretation. Ann Clin Biochem 1998;35:201.

부갑상선호르몬 관련 단백(PTHrp)

1. 검사 목적
• 악성종양에서 체액성 고칼슘혈증의 진단

2. 참고치
• <1.4 pmol/L

3. 검사 방법
1) 카르복시 부갑상선호르몬 관련 단백은 EDTA가 들어있는 시험관에 채혈한다.
2) 부갑상선호르몬 관련 단백은 EDTA 및 트라시놀이 들어있는 시험관에 채혈하고 즉시 혈장을 분리하여 보관한다.

4. 참고 사항
• 부갑상선호르몬 관련 단백(PTHrP) 유전자는 mRNA의 교대절단(alternate splicing)에 의해 아미노산 구성수가 139, 141, 173개인 3종의 펩티드를 만들며 이들의 N 말단 139개의 배열은 동일하다. 부갑상선호르몬 관련 단백 측정법에는 면역방사계측검사와 방사면역검사가 있다. 신기능저하에서는 부갑상선호르몬에서처럼 C 말단 분획의 반감기가 길어져 혈중치가 증가한다. 부갑상선호르몬 관련 단백 분비량의 정확한 평가를 위해서는 온전한 부갑상선호르몬 관련 단백의 측정이 필요하다. 부갑상선호르몬 관련 단백의 생리적 조절인자는 아직 밝혀지지 않았다. 성인에서 부갑상선호르몬 관련 단백은 칼슘 조절에 별로 기여하지 않는 것으로 여겨지지만, 종양에서 다량을 분비할 경우 고칼슘혈증이 유발된다.

참고문헌

1) Larry jameson, et al. Harrison's Principles of Internal Medicine. 20th ed. New York: McGraw-Hill. 2018;403.
2) Bilezikian, et al. Primer on the metabolic bone diseases and disorders of mineral metabolism. 8th ed. Blackwell Pub. 2018;27.

생화학적 골표지자

1. 검사 목적

- 골교체율(bone turnover rate)을 반영하는 지표

2. 생화학적 골표지자의 종류

골흡수표지자	혈청	C-telopeptide of type 1 collagen (CTX)
		N-telopeptide of type 1 collagen (NTX)
	소변	CTX, NTX
		Deoxypyridinoline (DPD)
		Pyridinoline (PYD)
골형성표지자	혈청	Procollagen type 1 N-terminal propeptide (P1NP)
		Bone specific alkaline phosphatase (BSALP)
		Osteocalcin (OC)

3. 참고치

표 1-3. 한국인 여성에서 생화학적 골표지자의 참고범위

Type of marker	Sample	Assay method	Reference interval	Median
Bone formation marker				
BSALP	Serum	CLIA	Premenopausal £ 14.3 mg/L	
	Serum	EIA	25-44 years 11.6-29.6 U/L	
Osteocalcin	Serum	RIA	21-30 years 4.0-20.0 ng/mL	
	Serum	IRMA	31-40 years 7.7-31.9 ng/mL	
	Serum	ECLIA	Premenopausal 11-43 ng/mL	
P1NP	Serum	ECLIA	30-39 years 18.7-83.2 mg/L	40.0 mg/L
Bone resorption marker				
CTX	Serum, plasma	ECLIA	Premenopausal 0.036-0.899 ng/mL	0.279 ng/mL
NTX	Serum	ELISA	6.2-19.0 nm BCE	

BSALP, bone-specific alkaline phosphatase; P1NP, propeptide of type I collagen; CTX, C-terminal telopeptide of type I collagen; CLIA, chemiluminescence assay; EIA, enzyme immunoassay; RIA, radioimmunoassay; IRMA, immunoradiometric assay; P1NP, aminoterminal propeptide of type I collagen; ECLIA, electrochemiluminescence assay [Park SY, et al. Position statement on the use of bone turnover markers for osteoporosis treatment. J Bone Meta 2019;26(4):213-224]

4. 참고 사항

1) 생화학적 골표지자는 골재형성을 반영하며, 뼈의 질을 평가할 수 있는 비침습적 방법이다.

2) 골흡수표지자중 CTX와 NTX는 골흡수가 진행되면서 1형 콜라겐이 카르복시말 단과 아미노말단에서 카텝신K 효소에 의해 분해된 아미노산 분절로, 골흡수가 증가한 경우 CTX와 NTX가 증가된다.

3) 골형성표지자로 조골세포에서 생성, 분비되는 뼈특이 알칼리인산분해효소 (BSALP)와 OC, 1형 콜라겐 합성과정에서 만들어지는 전구콜라겐의 연장펩티 드인 P1CP와 P1NP가 있다.

4) 골표지자는 생물학적 특성과 측정방법에 의해 다양하게 영향을 받을 수 있다.

5) 골흡수표지자중 가장 많이 사용되는 혈중 CTX는 일중 변동이 있고, 음식 섭취 에 의해 값이 50% 정도 감소된다. 혈청 검체는 공복상태에서 오전 7시30분에서 10시에 채혈을 하고 EDTA tube를 사용한다. 소변 검체는 아침 2번째 소변을 분 석한다.

6) 골형성표지자는 일중 변동이 10% 미만으로 하루 중 언제든지 검체를 채취해도 되지만 일반적으로 골흡수표지자 측정시 함께 측정한다.

7) 골표지자의 임상적 유용성은 골소실과 골절 위험을 예측하며, 골다공증 치료제 의 반응을 평가하는데 있다.

8) 골다공증 치료제의 반응을 평가할 때 약제 투여 후 3-6개월에 측정하여 투여 전 수치와 비교한다. 임상적으로 충분한 골표지자의 변화는 폐경 전 여성의 중간값 이하로 감소한 경우 또는 최소유의수준(Least significant change, LSC) 이상으로 골표지자가 감소한 경우(혈액 검체의 경우 30% 이상의 감소)이다.

참고문헌

1) Larry jameson, et al. Harrison's Principles of Internal Medicine. 20th ed. New York: Mc-Graw-Hill. 2018;404.
2) 대한골대사학회. 골다공증 진료지침. 2019.

골밀도검사

1. 검사 목적
- 골다공증의 진단

2. 참고치
- 세계보건기구(WHO)의 기준(1994년) T-점수(T-score)에 기준한다.
- 요추부, 대퇴골경부, 대퇴골전체 중 가장 낮은 T-점수를 이용하여 골다공증을 진단하며, 50세 이상 남성과 폐경 후 여성에 적용한다.
1) 정상(normal): 동일한 성별의 젊은 성인에 비하여 -1 표준편차 이상일 때
2) 골감소증(osteopenia): -1 표준편차에서 -2.5 표준편차 사이일 때
3) 골다공증(osteoporosis): -2.5 표준편차 이하일 때
4) 중증 골다공증(severe osteoporosis): -2.5 표준편차 이하이면서 골다공증성 골절이 있을 때
- 소아, 청소년, 폐경 전 여성과 50세 미만 남성에서는 T-값 대신에 Z-값을 사용한다. Z-값이 -2.0 이하인 경우 '연령 기대치 이하'라고 정의한다.

3. 참고 사항
1) 골밀도 측정 방법(현재 임상에서 흔히 사용되는 장비)
   ① 이중에너지 X-선 흡수계측법(dual energy X-ray absorptiometry, DXA)
   ② 정량적전산화단층촬영법(quantitative computed tomography, QCT)
   ③ 정량적초음파법(quantitative ultrasound, QUS)
2) 이중에너지 X-선 흡수계측법
   ① 원리: 2가지 에너지를 갖는 X-선을 이용하여 골조직에 투과 후 검출되는 정도로 골밀도를 측정한다.
   ② 장점: 골밀도 측정의 표준검사이다. 비교적 정밀도가 높고, 임상적으로 문제되는 대퇴부 골밀도를 직접 측정할 수 있다.
   ③ 단점: 비교적 장비 가격이 비싸다.
3) 정량적전산화단층촬영법

① 원리: 컴퓨터단층촬영법의 원리를 이용하여 골밀도를 측정한다.

② 장점: 피질골과 소주골을 분리하여 측정할 수 있다.

③ 단점: 방사선 노출이 많다.

4) 정량적초음파법

　① 원리: 초음파가 골에 부딪혀 감쇄(attenuation)되는 정도로 골량을 예측한다. 주로 종골(calcaneus)에서 측정한다.

　② 장점: 방사선 피폭을 받지 않는다. 비교적 가격이 저렴하다. 골밀도 외에 골강도에 영향을 주는 골질을 반영한다. 집단 선별 검사에 적합하다.

　③ 단점: 정밀도가 낮아 추적 검사에 이용할 수 없다. 대퇴부 골밀도를 직접 측정이 어렵다.

참고문헌

1) 대한골대사학회. 골다공증 진료지침. 2019.

CHAPTER **9**

지질대사

총콜레스테롤(Total cholesterol)

1. 검사 목적
1) 이상지질혈증(dyslipidemia)의 진단
2) 영양상태의 평가

2. 검사 방법
- 효소법(콜레스테롤 에스터라제법)

3. 참고치
- 적정: <200 mg/dL (<5.2 mmol/L)
- 경계: 200-239 mg/dL (5.2-6.2 mmol/L)
- 높음: ≥240 mg/dL (≥ 6.2 mmol/L)

4. 이상치의 해석

증가	감소
일차성 고콜레스테롤혈증 　특발성 고콜레스테롤혈증 　가족성 복합형 고콜레스테롤혈증 　가족성 고콜레스테롤혈증 　가족성 III형 고지단백혈증 이차성 고콜레스테롤혈증 　당뇨병 　비만 　갑상선기능저하증 　신증후군 　스테로이드 복용중 　경구 피임약 복용중 　신경성 식욕부진증	무, 저단백혈증 기아 간장애 갑상선기능항진증 백혈병 교원병

5. 측정치에 영향을 주는 요인
1) 일중 변동은 적으며, 공복이 아닌 경우에도 검사가 가능하다.

2) 측정치의 증가가 있는 경우: 월경 후

3) 낮은 측정치를 보이는 경우: 신생아에서 100 mg/dL 이하

4) 10대에는 성인에 비해 40 mg/dL 정도 낮다.

6. 참고 사항

1) 에스터화 콜레스테롤이 증가한 경우에는 신증후군, 간기능 장애, 갑상선기능저하증을, 감소한 경우에는 레시틴콜레스테롤 아실전이효소(LCAT) 활성의 저하, 갑상선기능항진증, apo 단백 A-1 이상증, 간경변, 급만성간염, 폐색성 황달 등을 고려한다.

2) 총콜레스테롤 외에 중성지방과 LDL 콜레스테롤 계산 값이 포함된 경우 혈액 채취 전 12시간 이상 금식이 필요하며, 12시간 금식이 어려운 경우에는 최소 9시간 이상의 금식이 필요하다.

3) ester 콜레스테롤:free 콜레스테롤 비율 = 2:1

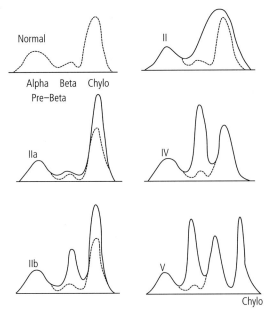

전기영동에 의한 고지단백혈증 표현형

4) 지질 대사 장애의 분류

Lipoprotein Pattern	Major Elevation in Plasma Lipoprotein	Lipid
Type 1	Chylomicron	TG
Type 2a	LDL	Cholesterol
Type 2b	LDL, VLDL	TG, Cholesterol
Type 3	Chylomicron remnants, IDL	TG, Cholesterol
Type 4	VLDL	TG
Type 5	VLDL, Chylomicrons	TG, Cholesterol

참고문헌

1) Shlomo Mened MBchB MACP, et al. Williams Textbook of Endocrinology. 13th ed. Philadelpia: Elesvier Saunders. 2019;1660-1700.
2) 한국지질·동맥경화학회 진료지침위원회. 이상지질혈증 치료지침. 제 4판. 2018.

█ 저밀도지단백(Low density lipoprotein)−콜레스테롤

1. 검사 목적
1) 이상지질혈증(dyslipidemia)의 진단
2) 심혈관질환의 위험도 판정

2. 검체의 채취와 취급
• 혈청 또는 EDTA로 채혈한 혈장

3. 검사 방법
1) 효소비색법으로 직접 측정
2) 다음의 Friedewald 공식1)에 의해 계산 저밀도지단백 콜레스테롤(LDL-C)
   = 총콜레스테롤 – 고밀도지단백 콜레스테롤(HDL-C) – 트리글리세리드(TG)/5

4. 위험도에 따른 저밀도지단백-콜레스테롤 및 non-고밀도지단백 콜레스테롤의 목표치

위험도	저밀도지단백-콜레스테롤(mg/dL)	Non-고밀도지단백 콜레스테롤(mg/dL)
초고위험군 　관상동맥질환 　죽상경과성 허혈뇌졸중 및 일과성 뇌허혈발작 　말초동맥질환	〈70	〈100
고위험군 　경동맥질환* 　복부동맥류 　당뇨병**	〈100	〈130
중등도 위험군 　주요위험인자†2개 이상	〈130	〈160
저위험군 　주요위험인자†1개 이하	〈160	〈190

* 유의한 경동맥 협착이 확인된 경우
** 표적장기손상 혹은 심혈관질환의 주요 위험인자를 가지고 있는 경우 환자에 따라서 목표치를 하향조정할 수 있다.
† 연령(남≥45세, 여≥55세), 관상동맥질환 조기발병 가족력, 고혈압, 흡연, 저 고밀도지단백 콜레스테롤

5. 참고 사항

1) Friedewald 공식은 초저밀도지단백내의 중성지방과 콜레스테롤의 비가 5:1이므로 초저밀 도지단백-콜레스테롤은 중성지방을 5로 나눈 값과 동일하다고 본다. 그러나 중성지방이 400 mg/dL 이상이면 공식이 부정확하므로 저밀도지단백-콜레스테롤을 직접 측정해야 한다.

2) 12시간 금식 후 측정하며 12시간 금식이 어려운 경우에는 최소 9시간 이상의 금식이 필요하다.

참고문헌 //

1) Friedewald WT, Levy RI, Fredrickson DS. Estimation of the concentration of low lipoprotein in plasma, without use of preparative ultracentrifuge. Clinical Chemistry 1972;18:499-502.

2) 한국지질·동맥경화학회 진료지침위원회. 이상지질혈증 치료지침. 제 4판. 2018.

고밀도지단백(High density lipoprotein)-콜레스테롤

1. 검사 목적
1) 이상지질혈증(dyslipidemia)의 진단
2) 관상동맥질환의 위험도 판정

2. 검사 원리
1) 침전법: 헤파린-망간 용액을 첨가하고 원심분리 하여 초저밀도 지단백과 저밀도 지단백을 침전시키고, 상층의 고밀도 지단백에서 콜레스테롤을 측정한다.
2) 분획분석 Electrophoresis: 혈청을 전기영동 후 콜레스테롤 염색 후 밀도계에서 α-콜레스테롤 분획을 환산한다.
3) 효소비색법

3. 참고치
1) 낮음(심혈관질환 위험인자): <40 mg/dL (<1.0 mmol/L)
   높음: ≥60 mg/dL (≥1.55 mmol/L)
2) 고밀도지단백 콜레스테롤(≥ 60 mg/dL)은 보호인자로 간주하여 심혈관질환 위험인자 총 개수 중 하나를 감하게 된다.

4. 이상치의 해석

증가	저하
이차성 고 고밀도지단백 콜레스테롤 혈증 운동, 적당한 알코올 섭취, 원발성 담즙성 간경변 약제(인슐린, 에스트로겐, 니코틴산) 일차성 고 고밀도지단백 콜레스테롤 혈증	이차성 저 고밀도지단백 콜레스테롤 혈증 일차성 고지혈증의 대부분 신부전증, 당뇨병, 비만, 간경변증, 갑상선기능이상, 관상동맥질환 약제(프로부콜, 티아자이드, 베타차단제, 티록신) 일차성 저 고밀도지단백 콜레스테롤 혈증 (Tangier병, Apo A 결핍증)

5. 측정치에 영향을 주는 요인

1) 증가된 경우: 침전법에서 트리글리세리드가 300 mg/dL 이상이면 약간 상승한다.
2) 일반적으로 여성에서 남성보다 높다.

6. 참고 사항

1) HDL 콜레스테롤 외에 중성지방과 LDL 콜레스테롤 계산 값이 포함된 경우 혈액 채취 전 12시간 이상 금식이 필요하며, 12시간 금식이 어려운 경우에는 최소 9시간 이상의 금식이 필요하다.
2) 원시(nascent) 고밀도지단백은 조직의 콜레스테롤을 받아 LCAT의 작용으로 성숙형 고밀도지단백2가 되며 콜레스테롤 에스터를 CETP에 의해 초지밀도지단백과 저밀도지단백에 전송한다.
3) 일차성(가족성) 고 고밀도지단백 콜레스테롤 혈증
   - 고밀도지단백 콜레스테롤 100 mg/dL 이상
   - 콜레스테롤 에스텔 전송단백(CETP), 간 리파제(HTGL)결핍에 의해 콜레스테롤 에스터가 고밀도지단백 콜레스테롤에 축적되어 고 고밀도지단백 콜레스테롤 혈증을 일으킨다.

참고문헌 //

1) Shlomo Mened MBchB MACP, et al. Williams Textbook of Endocrinology. 13th ed. Philadelpia: Elesvier Saunders. 2019;1660-1700.
2) 한국지질·동맥경화학회 진료지침위원회. 이상지질혈증 치료지침. 제 4판. 2018.

중성지방(Triglyceride)

1. 검사 목적

1) 이상지질혈증(dyslipidemia)의 진단
2) 영양상태의 평가

2. 검사 방법

- 효소법

3. 참고치

- 적정: <150 mg/dL (<1.7 mmol/L)
- 경계: 150-199 mg/dL (1.7-2.26 mmol/L)
- 높음: 200-499 mg/dL (2.26-5.65 mmol/L)
- 매우 높음: ≥500 mg/dL (≥ 5.65 mmol/L)

4. 이상치의 해석

증가	저하
고킬로미크론혈증 내인성 고중성지방혈증 고지단백혈증 I, IIb, III, IV, V 이차성 고중성지방혈증 　알코올 과잉섭취 　당뇨병 　비만 　갑상선기능저하증 　신증후군 　임신 　폐쇄성 황달 약제(스테로이드, 티아타이드 이뇨제)	이차성 　중증 간질환 흡수불량증후군 　기아 갑상선기능항진증 약제(헤파린 등)

* 콜레스테롤과 중성지방이 모두 증가되는 경우
과식, 알코올 과잉섭취, 비만, 갑상선기능저하증, 당뇨병, 고지단백혈증(V형, III형, IIb형)

5. 검체와 취급

- 실온에 방치하지 말 것, 4℃에 보관하면 수일간 변화 없다.

6. 측정치에 영향을 주는 요인

1) 증가되는 경우: 검사 전 하룻밤 금식이 필요하다(특히 고당질식, 알코올 과잉 섭취 후).
2) 저하되는 경우: 60세 이후

7. 참고 사항

1) 12시간 금식 후 측정하며 12시간 금식이 어려운 경우에는 최소 9시간 이상의 금식이 필요하다.

2) 식사에 의한 영향이 크며 식후 4-6시간에 가장 높다. 이 경우에도 300-350 mg/dL 이상은 비정상으로 판정한다.

3) 중성지방의 증가 경우에 내인성 중성지방(VLDL)과 외인성 중성지방(킬로미크론)을 구별하기 위해 혈청을 4℃에 12시간 방치하여 상층에 유백색층이 출현하면 킬로미크론의 존재를 진단한다.

4) 동맥경화증의 진행에 대한 영향이 콜레스테롤보다 작은 것으로 생각되나, 콜레스테롤의 증가와 동반되거나 베타-초저밀도지단백, 초저밀도 지단백 잔류물의 증가에서는 동맥경화를 촉진한다.

5) 600-1,000 mg/dL 이상의 고중성지방혈증에서는 췌장염을 일으킬 위험성이 높다.

참고문헌

1) Shlomo Mened MBchB MACP, et al. Williams Textbook of Endocrinology. 10th ed. Philadelpia: Elesvier Saunders. 2002;1645-6.

2) 한국지질·동맥경화학회 진료지침위원회. 이상지질혈증 치료지침. 제 4판. 2018.

인지질(Phospholipid)

1. 검사 목적
- 지질대사이상의 판정

2. 검사 방법
- 효소법

3. 참고치
1) 150-250 mg/dL

2) 인지질 분획에서 많은 순서는 레시틴 > 스핑고미에린 > 리조레시틴이다.

4. 이상치의 해석
1) 증가: 간담도 질환, 신경성 식욕부진증, 갑상선기능저하증, 신증후군
2) 저하: 전격성 간염, 간경변, 빈혈, 갑상선기능항진증, 흡수불량증후군

5. 측정치에 영향을 주는 요인
1) 연령 증가에 따라 증가하나 70세 이상에서는 감소한다.
2) 월경주기 후반에 증가, 경구 피임제, 스테로이드 호르몬 투여 후 증가한다.

참고문헌 ///

1) Shlomo Mened MBchB MACP, et al. Williams Textbook of Endocrinology. 10th ed. Philadelpia: Elesvier Saunders. 2002;1643-4.

지단백(Lipoprotein)과 아포단백(Apolipoprotein)

1. 검사 목적
● 지질과 아포단백의 복합체인 지단백의 검사에 의해 고지혈증을 진단

2. 검사 방법
1) 지단백을 전기영동법 또는 초원심법으로 분석한다.
2) 아포단백은 혼탁면역측정법(TIA)으로 측정한다.

3. 지단백분획 비율

	증가	저하
킬로미크론(0-5%)	I형 고지단백혈증	만성간염 흡수불량증후군 무 β리포단백혈증
초저밀도지단백 (pre-β) 10-25%	IV형 고지단백혈증	간경변증 갑상선기능항진증 저 β리포단백혈증
고밀도지단백(α) 5-25%	고α리포단백혈증	Tangier병
중간밀도지단백(β-VLDL)	III형 고지혈증	급성 간염

4. 참고치 및 이상치의 해석

	증가	저하
A I: 95-145 mg/dL	당뇨병	간, 담도질환, 만성 신부전증 III형 고지혈증
A II: 19-35 mg/dL		Tangier병
B 100: 39-119 mg/dL	가족성 고콜레스테롤혈증	무 β리포단백혈증
B 48: 50-150 mg/dL	복합형 고지혈증 갑상선기능저하증 당뇨병	
C II: 1-6 mg/dL		만성 신부전증
C II I: 4-12 mg/dL	I, II형 고지혈증 담즙 정체 갑상선기능저하증	간, 담도질환
E (1,2,3,4): 2-7 mg/dL	III형 고지단백혈증	E3 결핍증

5. 참고 사항

1) 전기영동법(electrophoresis)으로 지단백 분획을 분석하는 경우에 혈청 총지질(total lipid) 치를 알아야 하므로 동시에 측정해야 한다. 전기영동법으로 Fredrickson 의 고지단백혈증 표현형을 쉽게 구별할 수 있다.

참고문헌 //

1) Shlomo Mened MBchB MACP, et al. Williams Textbook of Endocrinology. 13th ed. Philadelpia: Elesvier Saunders. 2015;1660-700.

지단백(a) [Lipoprotein (a)]

1. 검사 목적
- 동맥경화증의 위험도 평가

2. 검사 방법
- 혼탁면역측정법(TIA)

3. 참고치
1) 10-20 mg/dL
2) 정규분포를 하지 않으며, 검출되지 않는 사람이 많고, 30 mg/dL 이상에서 동맥경화증의 발 생위험성이 높다.

4. 이상치의 해석
1) 증가: 동맥경화성 질환, 허혈성 심질환, 뇌경색, 당뇨병
2) 저하: 간담도질환

5. 검체의 채취와 취급
- 식사, 운동, 연령의 영향을 받지 않는다(고지방식 후에 일시적으로 저하).

6. 측정치에 영향을 주는 요인
- 낮은 치를 보이는 경우: 나이아신, 단백동화 호르몬 투여

7. 참고 사항
1) 지단백(a)은 전기영동에서 pre-β위치에 그리고 초원심법분리에서 고밀도지단백 분획에 포함된다. 아포지단백(a)은 아포지단백 B-l00에 S-S 결합된 지단백이다.
2) 아포지단백(a)과 플라스미노겐의 구조적 유사성으로 지단백(a)은 플라스미노겐 활성을 억제하여 동맥경화증을 촉진한다.
3) 지단백(a) 측정이 필요한 경우

- 55세 이전에 심혈관 장애가 생긴 경우, 또는 이러한 가족력이 있는 경우
- 일반적인 지질 검사에 이상이 없이 동맥경화성 혈관병변이 있는 경우
- 관상동맥 병변이 반복되는 경우
- 지단백(a)이 증가된 가족이 있는 경우

참고문헌 //

1) Shlomo Mened MBchB MACP, et al. Williams Textbook of Endocrinology. 13th ed. Philadelpia: Elesvier Saunders. 2015;1660-700.

유리 지방산(Free fatty acid, FFA)

1. 검사 목적
1) 지방 분해 상태의 파악
2) 당뇨병에서 포도당 이용 상황의 파악

2. 검사 방법
- 효소법

3. 참고치
- 공복시 176-586 uEq/L

4. 이상치의 해석

증가	저하
비만 당뇨병 기아 갑상선기능항진증 쿠싱증후군 갈색세포종 운동, 스트레스 약제(테오피린, α1-차단제, 카페인)	이차성 부신기능저하증 일차성 부신기능저하증(애디슨병) 인슐린종 고당질 식사후 약제(β-차단제, 인슐린, 포도당)

5. 측정치에 영향을 주는 요인

1) 스트레스, 금식, 흡연, 체위 변동 등에 의해 증가

2) 식사요법에 의해 감소

6. 참고 사항

1) 2형 당뇨병에서 인슐린 저항성을 일으키는 중요인자로 유리지방산의 중요성이 알려지고 있다.

2) 운동 중 갑작스러운 사망 원인의 하나이며 운동 중단 후 혈중 유리지방산이 급속히 상승(>800-1,000 μEq/L)되면 가능성이 있다.

3) 유리지방산의 약 30%는 간 트리글리세리드, 인지질의 합성 재료가 되며, 나머지는 에너지원, 아세톤체 형성 등에 이용된다.

참고문헌

1) Shlomo Mened MBchB MACP, et al. Williams Textbook of Endocrinology. 13th ed. Philadelpia: Elesvier Saunders. 2015;1660-700.

CHAPTER **10**

비만과 내분비 기능검사

체성분 분석법

1. 수중 밀도법(Water dippacement)

수중 밀도법을 이용한 체비중 측정법은 체밀도에서 체지방량을 구하는 방법이다. 체비중의 산출법은 알키메데스 원리에 기초하는 수중 체중 측정해 진법과 수조의 배수량에 의해 체용적을 측정하여 구하는 방법이 있다. 체비중으로부터 체지방량은 다음 공식을 이용한다.

$$\text{Brozek의 식: } F=(4.570/ D- 4.142) \times 100$$

$$(F: 체지방률, D: 체비중)$$

이 방법에서는 폐잔기량과 장 내 가스량의 보정이 필요하며, 고도 비만자나 합병증 있는 환자에서는 측정이 어려우며, 수중 탱크가 필요하며, 연구용으로 사용한다.

2. 체내 칼륨량 측정법

칼륨은 세포 내에 대부분 분포하므로 전신 K40 계수기(whole body ^{40}K counting)를 이용하여 자연적으로 존재하는 전신의 칼륨 동위원소(^{40}K)를 측정하면 전신의 총 칼륨량 및 체세포량을 구할 수 있으며, 세포 외액(ECW)은 삼중수소(^{3}H,tritium), 중수소(^{2}H, deuterium), 또는 ^{18}O-labeled warer를 추적자(tracer)로 사용하는 희석 방법(dilution method)을 통해 측정할 수 있다. 연구용으로 사용한다.

3. 공기 체비중 측정법(Air plethysmography)

수중밀도법(Water dippacement)과 동일한 원리로 체성분의 밀도를 측정하는 데 물 대신 공기를 사용하는 방법이다. 수중밀도법의 정확도를 재현하는 데 성공한 것으로 알려져 있으며 성인, 소아 등 거의 모든 연령대와 비만 정도에 따라서도 모두 체성분 측정에 성공적인 결과를 보여주었다고 보고된 바 있다. 이 측정법은 현재 BodPod (Life Measurement Inc., Concord, California, USA)이라는 명칭으로 출시되어 사용되고 있다.

4. 생체 전기 임피던스 측정법

생체에 작은 고주파 전류를 흘려 보내어 전기저항(임피던스)를 구하고, 체지방량을 측정하는 방법이다. 제지방량은 전해질을 많이 함유하여 전기를 통하게 하기 쉽지만, 지방 조직은 전해질이 없어 절연체로 생각하여 지방량을 추정한다. 이중에너지 X-선 흡수계측법에 비해 정밀도는 떨어지지만, 저렴하고 간편한 방법이다.

5. 이중에너지 X-선 흡수계측법

이중에너지 X-선 흡수계측법(dual energy X-ray absorptiometry, DXA)은 원래 골염분량을 측정하는 방법이며, 골염분량과 함께 체지방량, 제지방량을 계측할 수 있다. 체지방에 대한 절대 표준 측정법으로서 비교적 정확하게 체구성을 측정할 수 있으므로 임상에서 이용되고 있다. 이 측정법은 방사선 노출이 매우 적고, 검사에 소요되는 시간이 짧으며, 측정자 및 수검자 모두 이용이 편리한 장점을 갖고 있다. X선 흡수도는 조직에 따라 다르며, 2개의 광자 에너지를 X선의 흡수 계수를 측정하여 지방량을 구한다. 전산화단층 촬영 스캔으로 측정한 체지방량과 일치하여 측정 정밀도가 높고, 복부, 사지 등의 부위별 측정도 가능하지만, 복부의 내장 지방과 피하 지방은 구별되지 않는다.

6. 피하 지방두께 측정법

체지방량의 측정에 특수한 설비나 기계를 필요로 하는 방법이 많지만, 피하 지방두께를 계측하여 계산할 수도 있다. 측정 오차가 생기기 쉬운 결점은 있지만, 간편하여 많은 사람을 대상으로 한 역학 조사에 이용된다. 변동 계수는 10% 이상이다.

보통 상완 배측부와 견갑골 하부의 2부위의 합계가 남자 35 mm, 여자 45 mm 이상을 비만으로 판정하고 있다.

7. 전산화단층촬영 스캔법과 자기공명영상검사

전산화단층촬영 스캔의 단면상에서 직접 지방 조직의 면적을 측정하여 지방량을 구하는 방법이다. 전신을 두부, 상완(좌우), 전완(좌우), 흉부, 복부, 대퇴(좌우), 하퇴(좌우)의 11개 원주로 가정하고, 각각의 중간 점에서 단면 상의 지방 면적과 각부의 길이를 곱하고, 총계를 내어 지방량을 결정한다. 단면 폭을 좁게 하고, 많은 단면 상을 얻으면 정확성이 높아진다.

전산화단층촬영 스캔법의 특징은 전신의 지방량 측정과 동시에 신체 각부의 정확한 지방량 측정이 가능한 것이고, 내장 지방과 피하 지방도 구별하여 계측할 수 있는 점이다. 최근 비만 합병증은 지방 분포양식과 관련되는 것이 알려져 있다. 전산화 단층촬영 스캔법에 의해 복부 단면 상의 복강 내 내장 지방(V)과 피하 지방(S)면적의 측정으로 V/S 비 0.4 이상을 내장 지방형 비만, 0.4 미만을 피하 지방형 비만으로 분류한다.

당·지질대사 이상, 고혈압, 심기능 이상, 관동맥 질환 등은 피하 지방형 비만에 비해, 내장 지방형 비만에서 발생 빈도나 중증도가 높다.

한편 역학적 연구에서는 체형 지표인 허리둘레(W)와 둔부둘레(H)의 비(W/H)를 이용하며 V/S 비와 상관성이 있고, 상반신 비만은 하반신 비만에 비교하여 내장 지방형 비만과 유사한 심혈관질환의 위험성이 높다. MRI는 CT와 마찬가지로 비교적 지방량을 정확히 측정할 수 있다는 점과 함께 방사선 노출이 없다는 장점이 있다. 특히 MRI를 이용한 체성분 분석은 내장 지방, 피하 지방 및 근육간 지방량을 정확히 구분해 낼 수 있다. 그러나 장비가 고가이며 검사시간이 오래 걸리고, 폐쇄공포증, 고도비만 환자에게 적용하기 어렵다는 제한점이 있다.

참고문헌

1) Larry jameson, et al. Harrison's Principles of Internal Medicine. 20th ed. New York: McGraw-Hill. 2018;404.

렙틴(Leptin)

1. 배경

렙틴(leptin)은 지방 조직에서 유래하는 호르몬이며, 강력한 섭식 억제작용 및 교감신경 활동 항진작용에 의한 비만의 제어나 체중 증가의 억제에 관여한다. 또 시상하부와 뇌하수체 기능 조절에도 관여하여 신경 내분비 조절 인자로의 의의가 주목받고 있다.

2. 이상치를 보이는 경우

1) 일중 변동이 있어 낮에 비해 밤에서 1.5-2배 상승한다(일정한 시간에 채혈한다).

2) 비만에서 혈중 농도가 상승되며, 비만의 정도(체질량지수, BMI) 및 체지방량과 상관 관계가 높다.

3) 렙틴 농도는 내분비 질환에서도 상승되며 쿠싱증후군에서는 체질량지수가 같은 단순성 비만에 비해 약 2배 높다. 프라더-빌리(Prader-Willi syndrome) 증후군이나 다낭성난소증후군(polycystic ovarian syndrome)에 동반된 비만에서도 혈중 렙틴 농도가 증가된다.

4) 신경성 식욕부진증 환자에서는 혈중 렙틴 농도가 현저히 감소되고, 치료에 의해 체중이 회복되는 환자에서 혈중 농도가 상승된다.

3. 참고 사항

렙틴은 발견 당시 지방 조직에서만 생산된다고 생각되었지만 최근 지방 조직 이외의 조직으로 태반에서 렙틴의 생합성과 분비가 증명되었다. 임신 여성의 혈중 렙틴 농도는 체질량지수가 같은 비임신 여성에 비교하여 약 3-4배 상승되며, 태반 배출 후 급속히 저하된다. 태반에서 렙틴은 영양막 세포층에서 생산되며, 포상기태나 융모암 조직에서도 렙틴이 생산되어 혈중 농도가 상승된다. 즉 융모성 질환은 렙틴 생산종양으로 생각된다. 포상기태에서 자궁 적출 수술 혹은 융모암에서 항암제 치료 후 혈중 렙틴 농도가 저하되어 융모성 질환의 활동성이나 치료 효과 판정의 지표가 될 수 있다.

참고문헌 ///

1) Shlomo Mened MBchB MACP, et al. Williams Textbook of Endocrinology. 14th ed. Philadelpia: Elesvier Saunders. 2019.

요산(Uric acid)

1. 검사 목적
1) 통풍의 진단
2) 고요산혈증의 진단

3) 종양 용해 증후군의 파악

4) 요산석의 파악

2. 검사 방법

요산분해효소(uricase)에 의해 생성된 과산화수소가 발색반응을 일으켜 비색법으로 정량

3. 정상치

1) 남성 3.1-7.0 mg/dL (0.18-0.41 mmol/L)

2) 여성 2.5-5.6 mg/dL (0.15-0.33 mmol/L)

3) 요중 요산: 일반 식사에서 1.49–4.76 mmol/d (250–800 mg/d)

4. 이상치의 해석

증가	저하
식이성 고요산혈증(육류, 버섯, 콩) 비만, 고지혈증 통풍* 혈액질환 　(다발성 골수종, 용혈성빈혈, 백혈병 등) 점액수종 약제(티아자이드 이뇨제, 에피네프린)	잔틴뇨증 　특발성 저요산혈증 　판코니 증후군 간질환

* 과잉 생산형에서 요중 요산 증가: Lesch-Nyhan증후군에서 요중치 증가 배설 저하형에서 요중 요산 저하: xanthine oxidase결핍증에서 요중치 저하

5. 참고 사항

1) 요산염(monosodium urate)의 이론적 용해도는 37℃, pH 7.4의 등장용액에서 6.4 mg/dL이지만, 혈청 중의 양이온 영향으로 실제치보다 높다.

2) 심한 운동은 퓨린 뉴클레오티드의 이화반응, ATP 감소에 의해 de novo계의 반응이 항진되어 고요산혈증이 발생된다.

3) 신생아에서 3.5±1 mg/dL로 낮으며, 그 후 서서히 증가된다.

참고문헌 //

1) J. Larry jameson, et al. Harrison's Principles of Internal Medicine. 20th ed. New York: Mc-

Graw-Hill. 2018;2632.

2) J. Larry jameson, et al. Harrison's Principles of Internal Medicine. 19th ed. New York: Mc-
Graw-Hill. 2015;appendix.

CHAPTER 11

위장관 호르몬 검사

가스트린(Gastrin)

1. 검사 목적 및 배경

위 유문부 전정점막, 십이지장, 소장 점막 등에 존재하는 G세포에서 생산, 분비된다. 혈중에는 여러 종의 아형(subtype)이 존재한다. 가스트린의 작용은 위산분비 촉진, 펩신분비 촉진, 위 점막 혈류 증가 및 세포 증식 작용, 유문 괄약근 억제작용 등이다. 위장관 신경내분비종양 증후군인 잘링어-엘리슨 증후군(Zollinger-Ellison syndrome)의 진단에 이용될 수 있다. 방사면역검사법으로 측정하며 신뢰도가 높은 키트가 여러 종 시판되고 있다.

2. 검사 채취

아침 공복에 trasylol과 EDTA가 들어있는 냉각시킨 시험관에 채혈하여 4℃에서 즉시 혈장을 분리하고 -20℃ 이하에 냉동 보관

3. 정상치

- 100 pg/mL 미만

4. 이상치

- 200 pg/mL 초과할 경우 gastrinoma을 의심해야 한다. 잘링어-엘리슨 증후군에서 1,000 pg/mL 40-60%에서 이상이다.
- 위십이지장 궤양, 위축성 위염, 악성빈혈, 유문동 과형성, 만성 신부전 등에서 혈중 가스트린이 상승된다.

5. 참고 사항

잘링어-엘리슨 증후군의 확진 또는 고가스트린혈증의 다른 원인을 감별하기 위해 부하시험을 실시할 수 있다.

1) 세크레틴 부하시험(secretin provocation test)
- 세크레틴 2 ug/kg를 30초 동안 정맥주사하며, 주사 전과 주사 후 2, 5, 10, 20, 30분에 채혈하여 가스트린을 측정한다.

- 정상에서는 기저치의 50% 이하 감소되나, 90% 이상의 잘링어-엘리슨 증후군에서는 >120 pg/mL으로 역설적 증가를 보인다.

2) 칼슘 부하시험, 글루카곤 부하시험이나 고단백 식이 부하시험도 실시할 수 있다

참고문헌

1) J. Larry jameson, et al. Harrison's Principles of Internal Medicine. 20th ed. New York: Mc-Graw-Hill. 2018;607.

2) J. Larry jameson, et al. Harrison's Principles of Internal Medicine. 19th ed. New York: Mc-Graw-Hill. 2015;appendix.

3) Shlomo Mened MBchB MACP, et al. Williams Textbook of Endocrinology. 14th ed. Philadelpia: Elesvier Saunders. 2015.

세크레틴(Secretin)

1. 검사 목적 및 배경

분비세포는 십이지장, 상부공장에 존재하여 주로 췌장 외분비 자극작용을 하여 중탄산염을 분비시킨다. 그밖에 인슐린분비 촉진작용, 위산분비 억제작용이 있다. 췌장신경내분비종양(pancreatic neuroendocrine tumors)의 진단에 이용된다. 방사면역검사법으로 측정하며 감도가 높은 키트를 선택한다.

2. 검사 채취

아침 공복에 trasylol과 EDTA가 들어있는 냉각시킨 시험관에 채혈하여 4℃에서 즉시 혈장을 분리하고 -20℃ 이하에 냉동 보관

참고문헌

1) J. Larry jameson, et al. Harrison's Principles of Internal Medicine. 20th ed. New York: Mc-Graw-Hill. 2018;596.

콜레시스토키닌(Cholecystokinin)

1. 검사 목적 및 배경

십이지장, 공장 등에 광범위하게 분포된 세포에서 분비되며, 담낭수축과 췌장 외분비 촉진작용을 하고 뇌에서도 분비되어 중추에 작용한다. 췌장 신경내분비종양의 진단에 이용될 수 있다.

참고문헌 ///

1) J. Larry jameson, et al. Harrison's Principles of Internal Medicine. 20th ed. New York: Mc-Graw-Hill. 2018;611-2221.

혈관활성 장펩티드(Vasoactive intestinal peptide, VIP)

1. 검사 목적

분비성 설사를 동반한 췌장 신경내분비종양의 진단

2. 검사 채취

아침 공복에 trasylol과 EDTA가 들어있는 냉각시킨 시험관에 채혈하여 4℃에서 즉시 혈장을 분리하고 -20℃ 이하에 냉동 보관

3. 이상치: 증가되는 경우

Fating VIP >200 pg/mL 이상 시 VIPoma 의심, 운동 후, 지방질 식이 후, 갑상선 수양종, 글루카곤종, 간경변, 신부전, 신경절신경모세포종, 이뇨제 남용, 설사제 남용

4. 참고 사항

VIPoma의 증상은 1일 3,000 mL 이상이고 금식에도 계속되는 지속적인 설사와, 저칼륨혈증, 무산증 등이다. VIPoma는 가장 흔한 췌장종양이며 임상증상이 서서히

진행하여 종양의 크기가 크다.

참고문헌 //

1) J. Larry jameson, et al. Harrison's Principles of Internal Medicine. 20th ed. New York: Mc-Graw-Hill. 2018;609.

2) Shlomo Mened MBchB MACP, et al. Williams Textbook of Endocrinology. 14th ed. Philadelpia: Elesvier Saunders. 2019.

5-수산화인돌초산(5-hydroxyindoleacetic acid, 5-HIAA)

1. 검사 목적
카르시노이드 종양(carcinoid tumor)의 진단

2. 검사 방법
6 N 염산이 들어있는 통에 24시간 소변을 모아 고속 액체크로마토그라피법으로 검사한다.

3. 정상치
- 요중 5-HIAA: 2-8 mg/day
- 카르시노이드 종양에서 15 mg/day 이상

4. 이상치를 보이는 경우

증가	감소
식품; 아보카도, 바나나, 가지, 키위, 파인애플, 자두, 호두, 커피 약제; 아세트아미노펜, 암페타민, 에페드린, 플루오우라실, 구아이페네신, 멜파란, 니코틴, 페노바르비탈, 펜톨아민, 레젤핀	식품; 술 약제; 아스피린, 클로르프로마진, 코르티코트로핀, 헤파린, 이미프라민, 이소니아지드, 레보도파, 메테나민, 메틸도파, 모노아민산화효소 억제제, 스트렙토조토신 질환; 케톤산혈증

5. 참고 사항

1) 카르시노이드에서는 세로토닌 및 다른 활성물질을 분비하여 홍조, 설사, 천식, 우심부전, 펠라그라 모양의 피부발진 등의 다양한 증상(카르시노이드증후군)을 나타낸다. 종양에서 분비되는 활성물질에는 브라디키닌, 혈관활성 장펩티드, 프로스타글란딘 등이 있다.

2) 카르시노이드 종양이 소장이나 대장에 존재할 경우에는 분비되어 문맥혈관으로 들어온 활성물질이 간을 지나면서 비활성화되어 전형적인 증상을 나타내지 않으나 간에 전이가 일어난 후 증상을 일으킨다.

3) 세로토닌이 대사되어 소변으로 배설되는 5-HIAA의 증가는 카르시노이드 종양의 선별검사에 이용된다.

4) 유발시험으로 히스타민 부하검사, 티라민 부하검사, 알코올 부하검사 등을 시행한다.

참고문헌 //

1) J. Larry jameson, et al. Harrison's Principles of Internal Medicine. 20th ed. New York: McGraw-Hill. 2018;599-606.

█ 세로토닌(5-hydroxytryptamine, 5-HT)

1. 검사 목적

소변 5-HIAA 배설이 증가되지 않거나, 5-hydroxytryptophan만 생산하는 전장 (foregut) 종양 에 의한 카르시노이드 종양의 진단

2. 검사 방법

고속 액체크로마토그래피(HPLC)법

3. 주의사항

1) 혈중 세로토닌의 대부분은 혈소판에 들어있다. EDTA 튜브에 채혈하고 즉시 4℃

에서 150 g으로 20분간 원심분리한다. 물이 첨가되면 혈소판이 파괴된다.

2) 카르시노이드 종양의 위치에 따른 임상 증상과 분비물질의 차이

위치	장소	증상	분비물질
전장(foregut)	기관지	홍조, 눈물, 안면부종, 천식	세로토닌, 히스타민*
	위	전신홍조, 가려움증	5-OH-tryptophan
	십이지장	설사	히스타민, 세로토닌*
	회장	혈관확장, 심장병변	세로토닌, 히스타민*
	충수돌기	설사	세로토닌
중장(midgut)	대장		
	직장	안면홍조	세로토닌
후장(hindgut)		설사	세로토닌

* 미량분비

참고문헌 //

1) J. Larry jameson, et al. Harrison's Principles of Internal Medicine. 16th ed. New York: Mc-Graw-Hill. 2004;597.

글루카곤양펩티드-1(Glucagon like peptide-1, GLP-1)

1. 검사 목적 및 배경

회장과 대장의 L-세포에서 장관 내 영양분이나 혈중 혈당 농도에 자극을 받아 분비되면 췌장의 beta 세포의 기능을 향상시켜 인슐린분비를 증가시키고 글루카곤의 분비를 억제시킬 뿐만 아니라 beta 세포의 증식, 위장관 운동 억제, 식욕 억제 등의 효과도 나타낸다. 연구용 검사로 사용된다.

2. 검사 방법

ELISA (Enzyme-Linked Immunosorbent Assay)

참고문헌 //

1) J. Larry jameson, et al. Harrison's Principles of Internal Medicine. 20th ed. New York: Mc-Graw-Hill. 2018;2839.

내분비 기능검사의
수행과 판독

Index

국문 찾아보기

내분비 기능검사의 수행과 판독

영문 찾아보기